'사고력수학의 시작'

팡세

PENSÉES

P3

7세 | 유추

사고가 자라는 수학
씨투엠

사고력 수학을 묻고 팡세가 답해요

Q: 사고력 수학은 '왜' 해야 하나요?

사고력 수학은 아이에게 낯선 문제를 접하게 함으로써 여러 가지 문제 해결 방법을 아이 스스로 생각하게 하는 것에 목적이 있어요. 정석적인 한 가지 풀이법만 알고 있는 아이는 결국 중등 이후에 나오는 응용 문제에 대한 해결력이 현저히 떨어지게 되지요. 반면 사고력 수학을 통해 여러 가지 풀이법을 스스로 생각하고 알아낸 경험이 있는 아이들은 한 번 막히는 문제도 다른 방법으로 뚫어낼 힘이 생기게 된답니다. 이러한 힘을 기르는 데 있어 사고력 수학이 가장 크게 도움이 된다고 확신해요.

Q: 사고력 수학이 '필수'인가요?

No but Yes! 초등 수학에서 가장 필수적인 것은 교과와 연산이지요. 또 중등에서의 서술형 평가를 대비하기 위한 서술형 학습과 어려운 중등 도형을 헤쳐나가기 위한 도형 학습 정도를 추가하면 돼요. 사고력 수학은 그 다음으로 중요하다고 할 수 있어요. 다만 만약 중등 이후에도 상위권을 꾸준하게 유지하겠다고 하시면 사고력 수학은 필수랍니다.

Q: 사고력 수학, 꼭 '어려운' 문제를 풀어야 하나요?

No! 기존의 사고력 수학 교재가 어려운 이유는 영재교육원 입시 때문이었어요. 상위권 중에서도 더 잘하는 아이, 즉 영재를 골라내는 시험에 사고력수학 문제가 단골로 출제되었고, 이에 대비하기 위해 만들어진 것이 초창기 사고력 수학 교재이지요. 하지만 모든 아이들이 영재일 수는 없고, 또 그래야할 필요도 없어요. 사고력 수학으로 영재를 확실하게 선별할 수 있는 것도 아니에요. 따라서 사고력 수학의 원래 목적, 즉 새로운 문제를 풀 수 있는 능력만 기를 수 있다면 난이도는 중요하지 않답니다. 오히려 어려운 문제는 수학에 대한 아이들의 자신감을 떨어뜨리는 부작용이 있다는 점! 반드시 기억해야 해요.

Q: 사고력 수학 학습에서 어떤 점에 '유의'해야 할까요?

가장 중요한 것은 아이가 스스로 방법을 생각할 수 있는 시간을 충분히 주는 거예요. 엄마나 선생님이 옆에서 방법을 바로 알려주거나 해답지를 줘버리면 사고력 수학의 효과는 없는 거나 마찬가지랍니다. 설령 문제를 못 풀더라도 아이가 스스로 고민하는 습관을 가지고, 방법을 찾아가는 시간을 늘리는 것이 아이의 문제해결력과 집중력을 기르는 방법이라고 꼭 새기며 아이가 스스로 발전할 수 있는 가능성을 믿어 보세요.
또 하나 더 강조하고 싶은 것은 문제의 답을 모두 맞힐 필요가 없다는 거예요. 사고력 수학 문제를 백점 맞는다고 해서 바로 성적이 쑥쑥 오르는 것이 아니에요. 사고력 수학은 훗날 아이가 더 어려운 문제를 풀기 위한 수학적 힘을 기르는 과정으로 봐야 하는 거지요. 그러니 아이가 하나 맞히고 틀리는 것에 일희일비하지 말고 우리 아이가 문제를 어떤 방법으로 풀려고 했고, 왜 어려워 하는지 표현하게 하는 것이 훨씬 중요하답니다. 사고력 수학은 문제의 결과인 답보다 답을 찾아가는 과정 그 자체에 의미가 있다는 사실을 꼭! 꼭! 기억해 주세요.

팡세의 구성과 특징

1. 패턴, 퍼즐과 전략, 유추, 카운팅 - 새로운 시대에 맞는 새로운 사고력 영역!
2. 아이가 혼자서도 술술 풀어나가며 자신감을 기르기에 딱 좋은 난이도!
3. 하루 10분 1장만 풀어도 초등에서 꼭 키워야 하는 사고력을 쑥쑥!

일일 소주제 학습

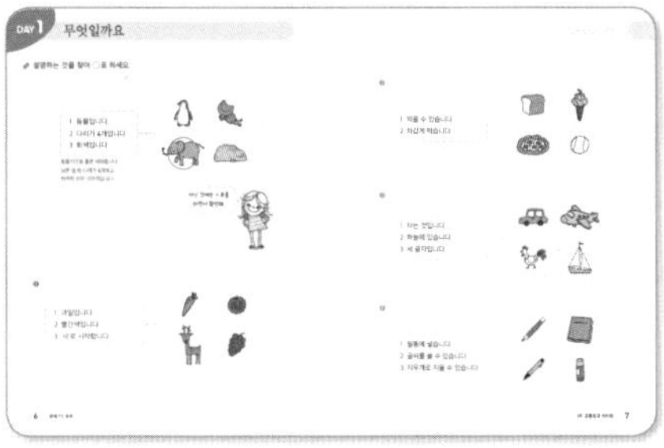
DAY 1
무엇일까요

하루에 10분씩
매일 1장씩만
꾸준히 풀면 돼.

주차별 확인학습

5일 동안 배운 것 중
가장 중요한 문제를
복습하는 거야!

확인학습

월간 마무리 평가

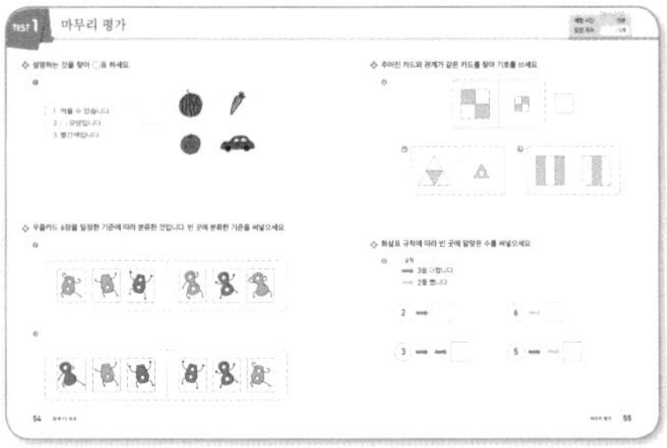
TEST 1
마무리 평가

4주 동안 공부한
내용 중 어디가 부족한지
알 수 있다. 삐리삐리~

이 책의 차례

P3

pensées

1
주차

공통점과 차이점

DAY 1 무엇일까요

✎ 설명하는 것을 찾아 ○표 하세요.

1. 동물입니다.
2. 다리가 **4**개입니다.
3. 회색입니다.

동물이므로 돌은 제외됩니다.
남은 것 중 다리가 **4**개이고,
회색인 것은 코끼리입니다.

아닌 것에는 ×표를 하면서 확인해.

❶

1. 과일입니다.
2. 빨간색입니다.
3. '사'로 시작합니다.

❷

1. 먹을 수 있습니다.
2. 차갑게 먹습니다.

❸

1. 타는 것입니다.
2. 하늘에 있습니다.
3. 세 글자입니다.

❹

1. 필통에 넣습니다.
2. 글씨를 쓸 수 있습니다.
3. 지우개로 지울 수 있습니다.

공통점 찾기

✎ 공통점을 찾아 선으로 이어 보세요.

❶ 

❷ 

❸ 

❹ 

❺ 

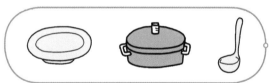

물에서 삽니다.

부엌에 있는 물건입니다.

하늘을 날 수 있습니다.

타고 다닐 수 있습니다.

□ 모양입니다.

❻ 

화장실에 있는
물건입니다.

❼ 

○ 모양입니다.

❽ 

다리가 **4**개인
동물입니다.

❾ 

초록색입니다.

❿ 

과일입니다.

DAY 3 나머지와 다른 것

다른 그림과 어울리지 않는 것 1개를 골라 ╳표 하세요.

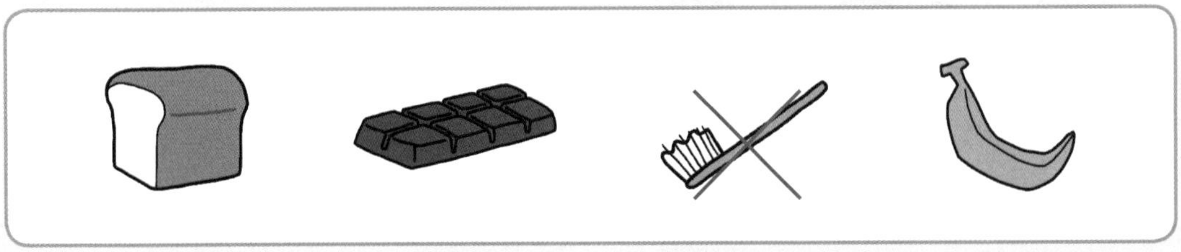

빵, 초콜릿, 바나나는 먹을 수 있지만 칫솔은 먹을 수 없습니다.

❶

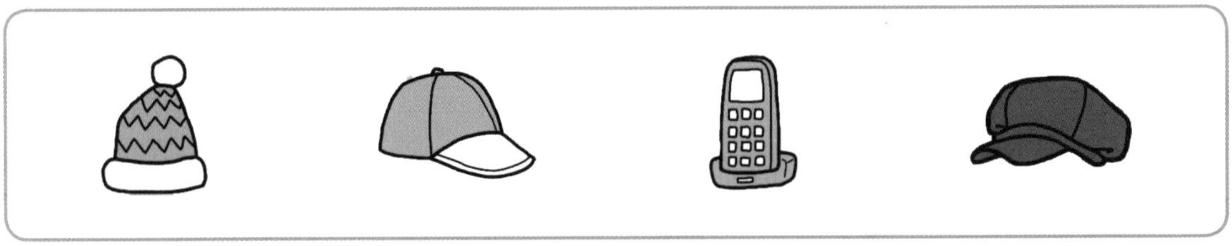

❷

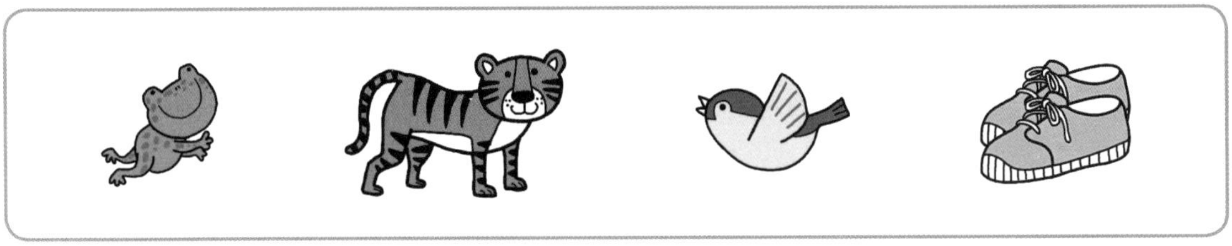

❸

❹

❺

❻

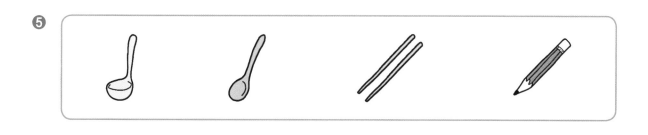

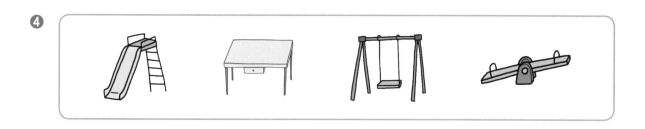

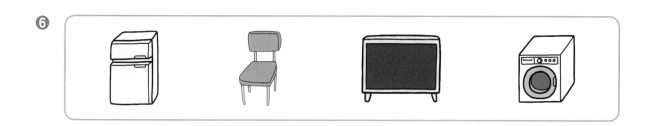

알맞은 그림 찾기

그림들의 공통점을 찾아 빈칸에 가장 알맞은 그림에 ◯표 하세요.

모두 과일이므로 알맞은 것은 귤입니다.

❶

❷

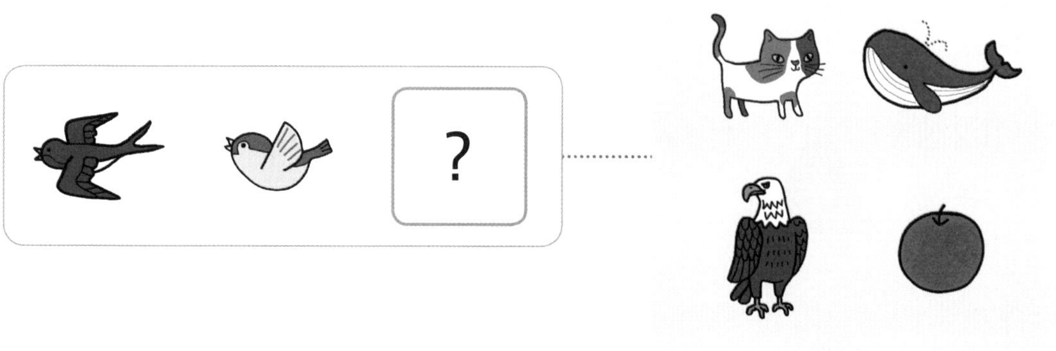

❸

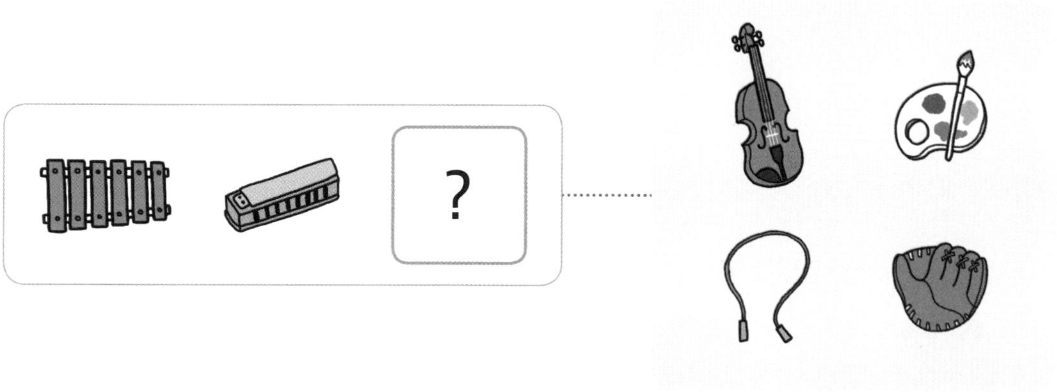

❹

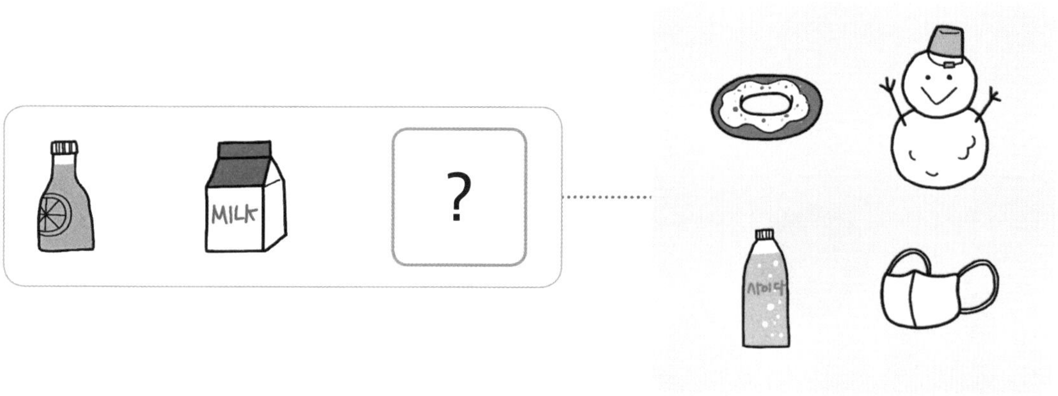

단추의 공통점

단추의 공통점을 찾아 써 보세요.

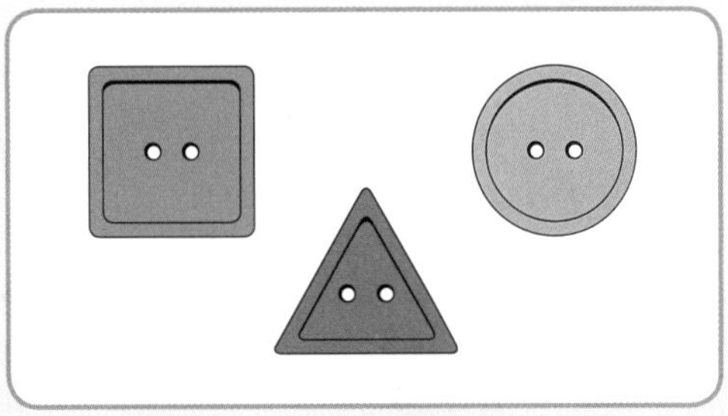

구멍이 2개입니다.

단추의 모양, 색깔,
구멍의 개수에서
공통점을 찾아봐.

❶

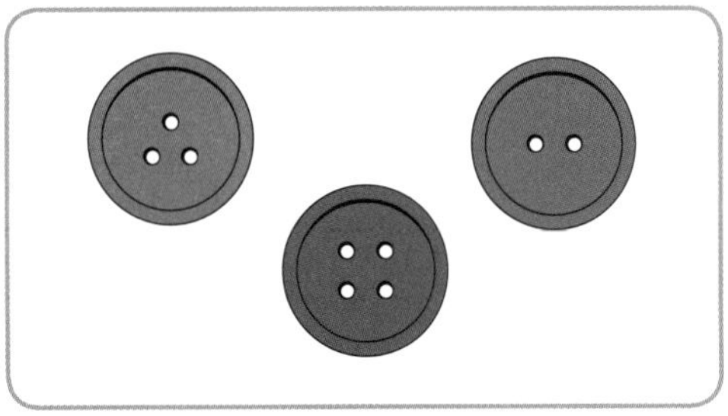

❷

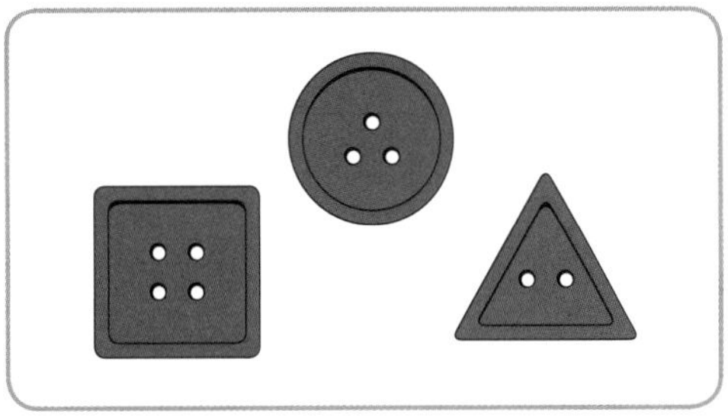

❸

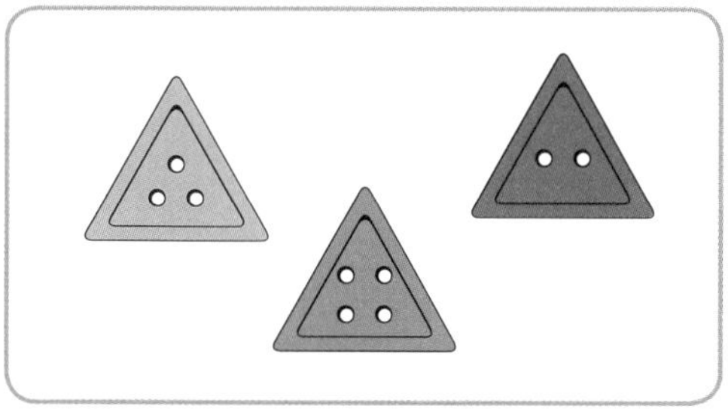

❹

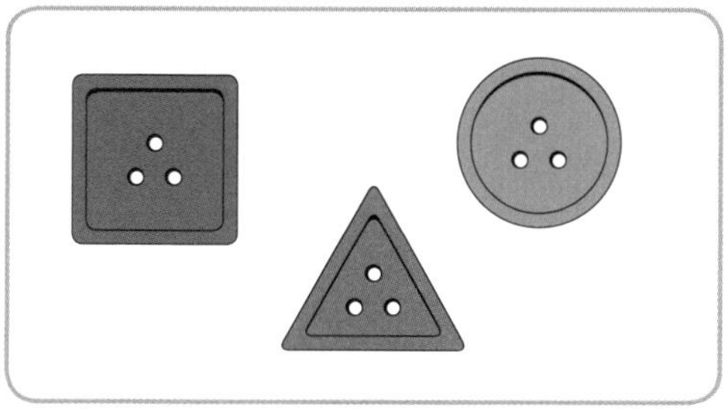

❺

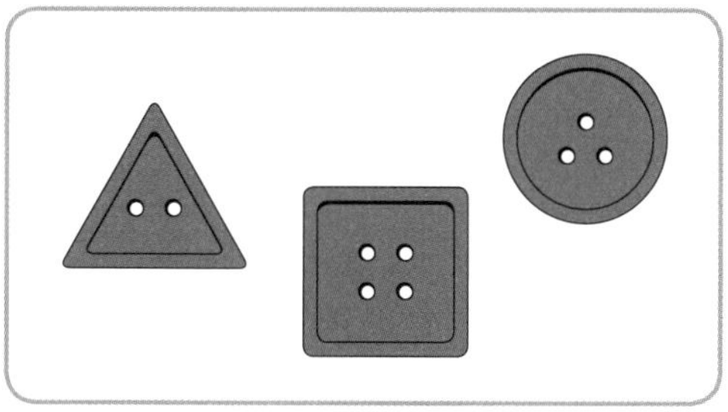

확인학습

✎ 그림들의 공통점을 찾아 빈칸에 가장 알맞은 그림에 ◯표 하세요.

❶

✎ 단추의 공통점을 찾아 써 보세요.

❷

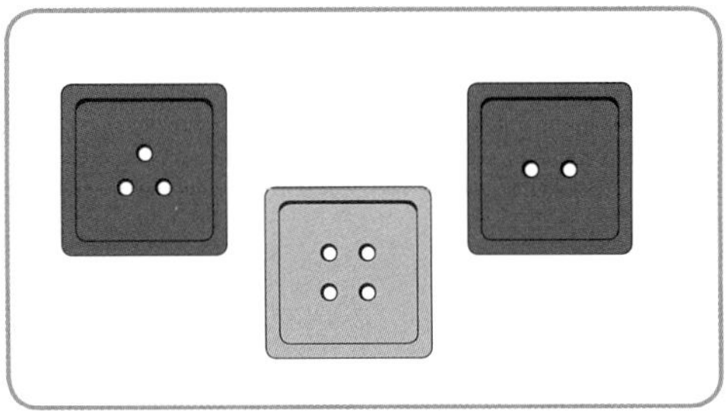

____

❸

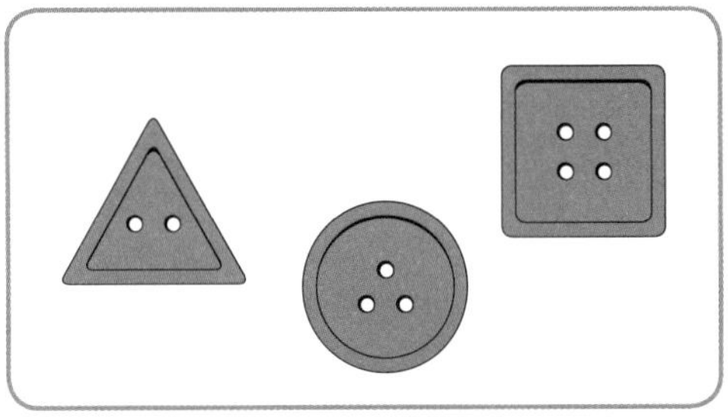

____

2 주차

우즐카드

DAY 1 분류 기준 (1)

✎ 기준에 따라 분류한 것입니다. 빈 곳에 분류한 기준을 써넣으세요.

날 수 있습니다. | 날 수 없습니다.

여러 가지 물건이나 동물 등을
같은 것과 다른 것으로
분류하기 위해 정하는 것을
기준이라고 해.

❶

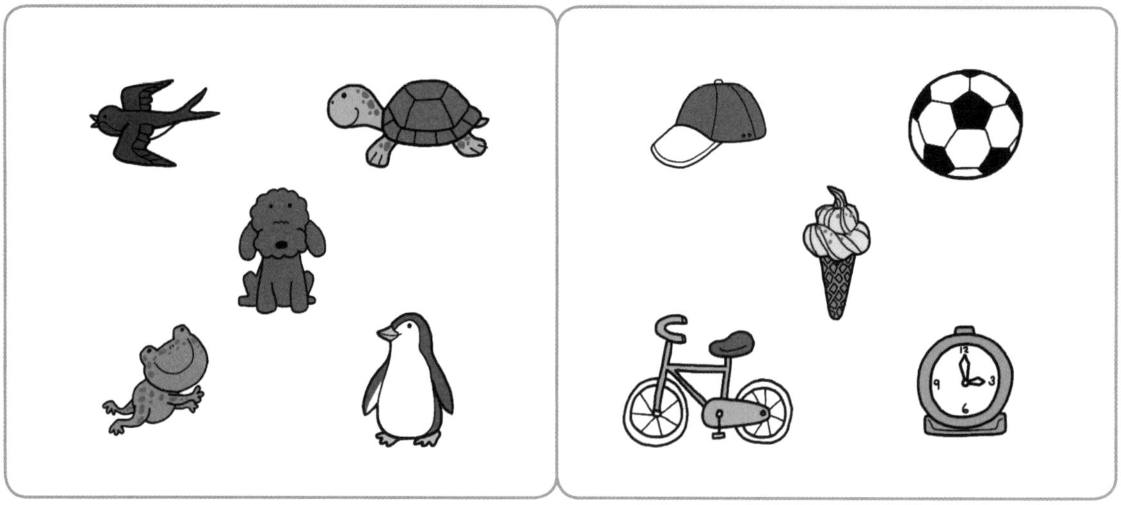

12
3
6
9

❷

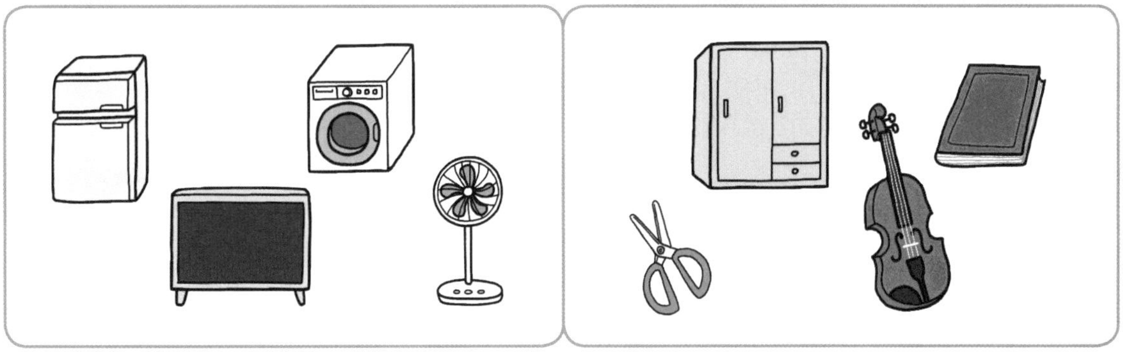

❸

❹

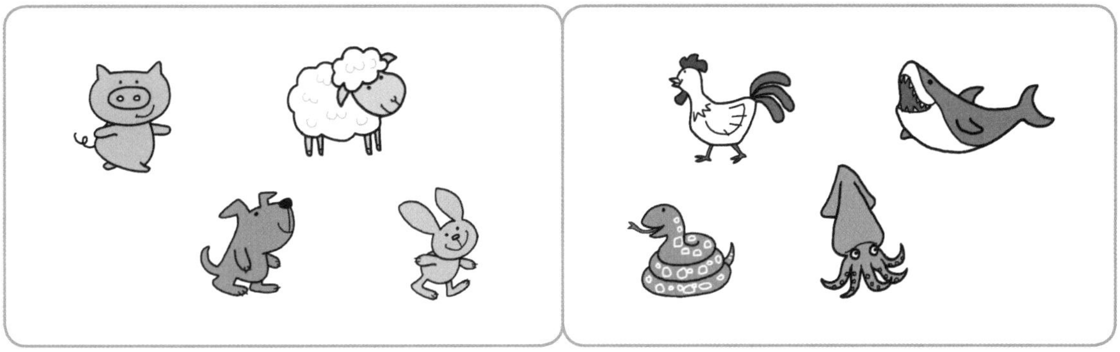

공통점

공통점을 찾아 선으로 이어 보세요.

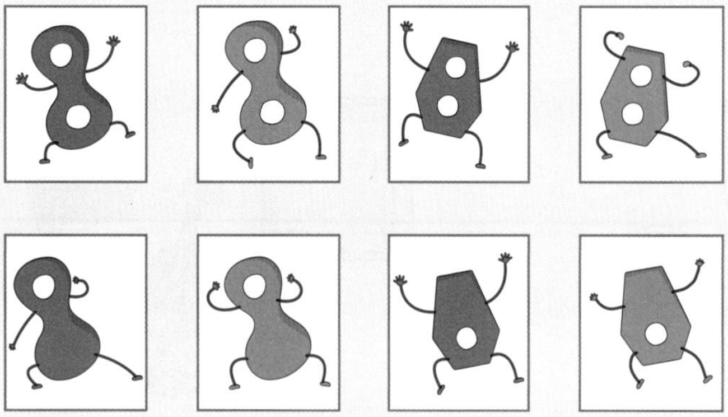

1. 모양에 따라 분류할 수 있습니다.
2. 색깔에 따라 분류할 수 있습니다.
3. 구멍의 개수에 따라 분류할 수 있습니다.

어떤 기준으로 분류할 수 있을지 생각해 봐.

❶

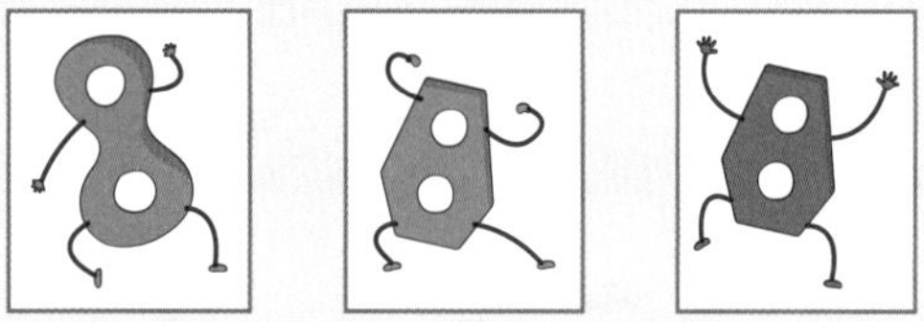

- 구멍이 2개입니다.
- 파란색입니다.
- 굽은 선으로 된 모양입니다.

❷

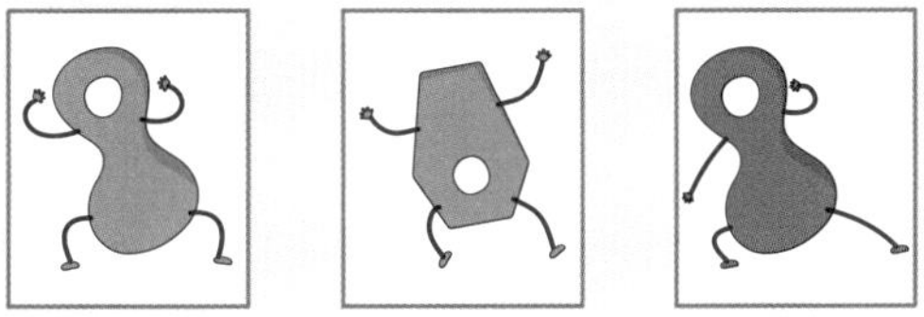

구멍이 1개입니다.

빨간색입니다.

굽은 선으로 된 모양입니다.

❸

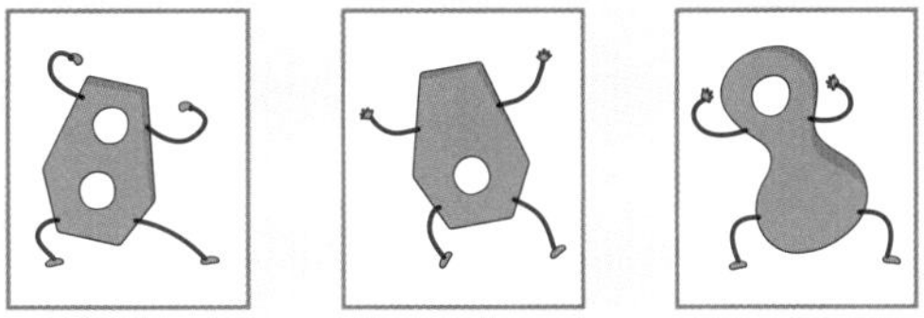

굽은 선으로 된 모양입니다.

곧은 선으로 된 모양입니다.

파란색입니다.

잘못 들어간 것

✎ 우즐카드를 공통점을 찾아 모은 것입니다. 잘못 들어간 것에 ×표 하세요.

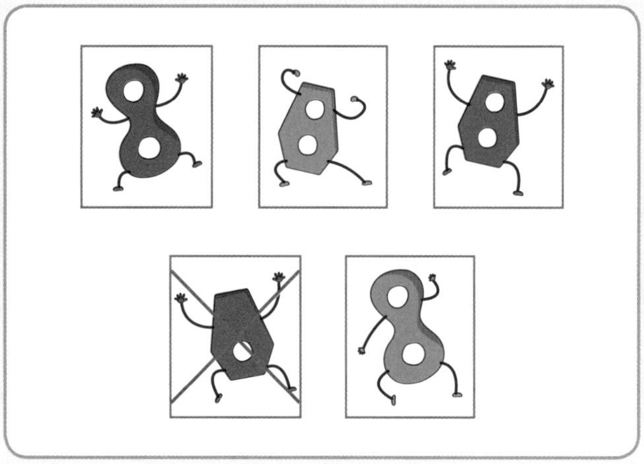

구멍이 2개인 모양을 모은 것입니다.

카드 1장이
잘못 들어갔어.

❶

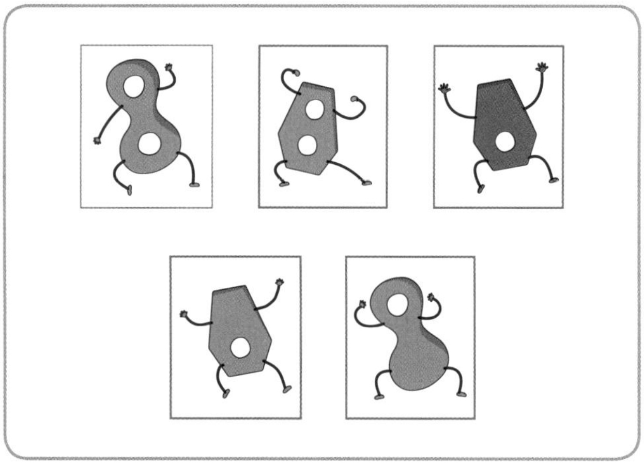

❷

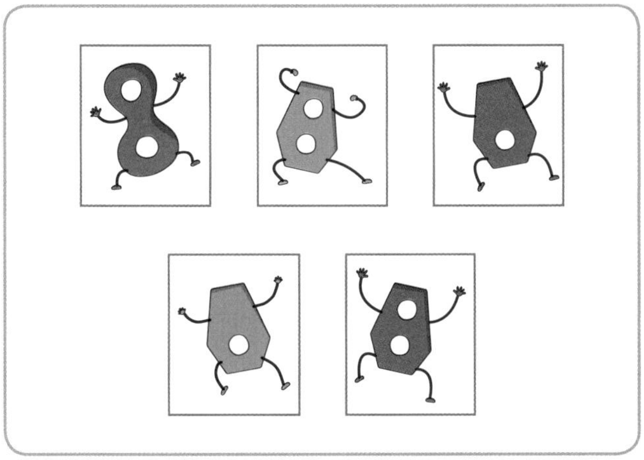

❸

❹

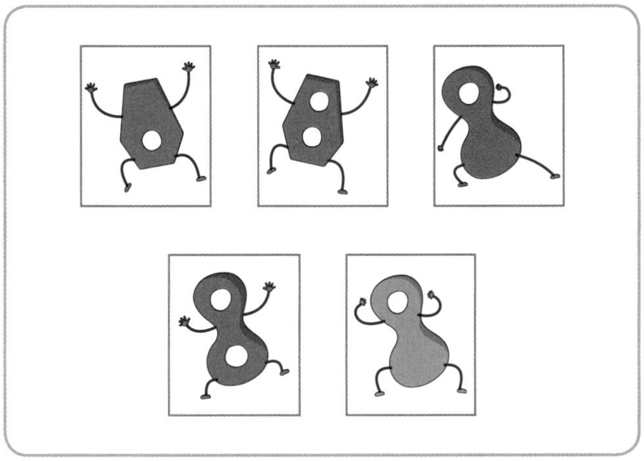

DAY 4 분류 기준 (2)

✎ 우즐카드 6장을 일정한 기준에 따라 분류한 것입니다. 빈 곳에 분류한 기준을 써넣으세요.

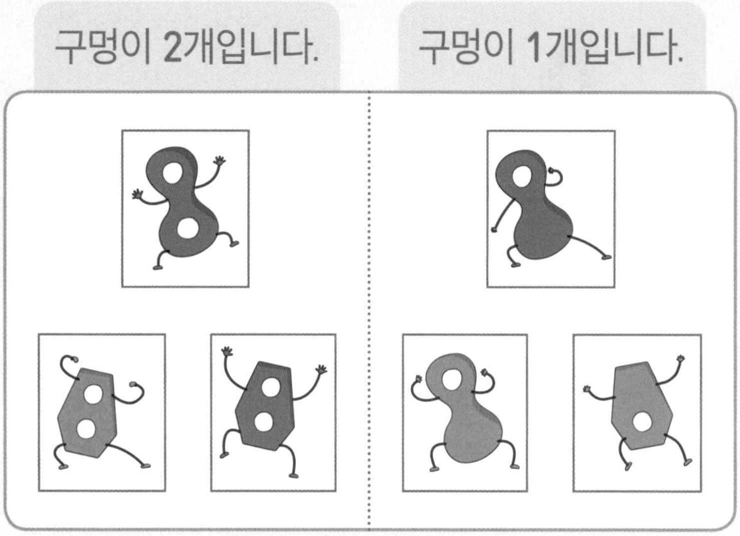
구멍이 2개입니다.
구멍이 1개입니다.

분류된 모둠에서
공통점을 찾아봐.

구멍의 개수가 2개인 것과 1개인 것으로 분류한 것입니다.

❶

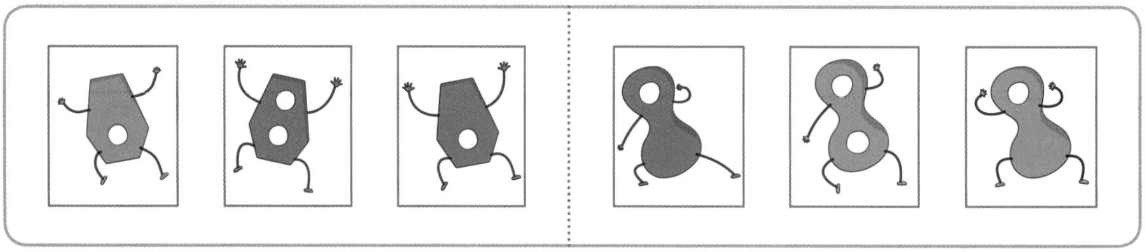

❷

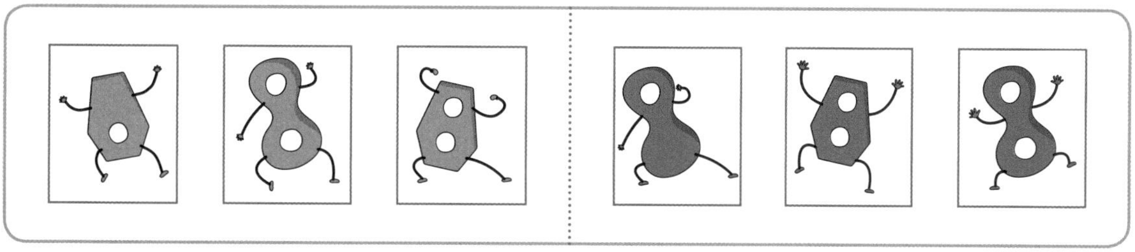

❸

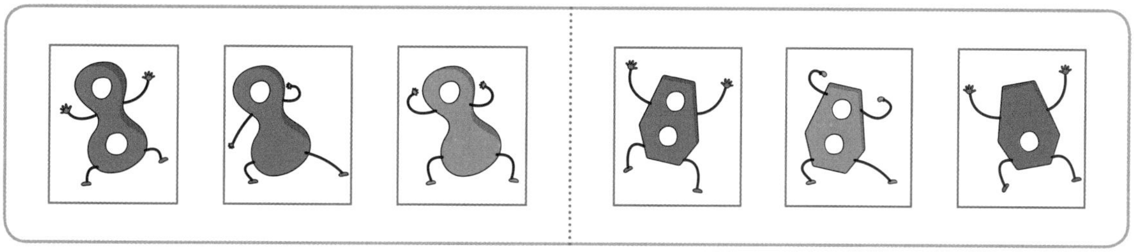

❹

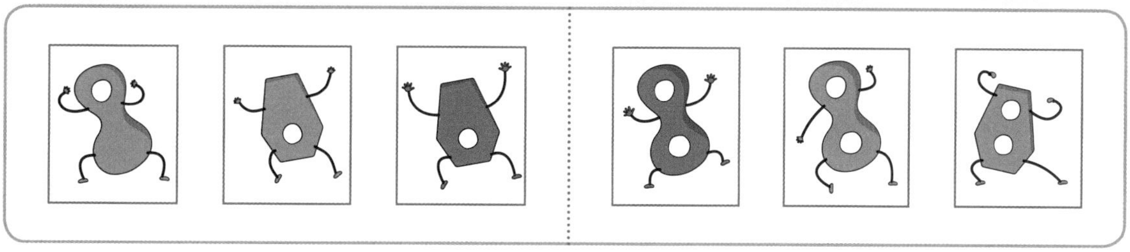

DAY 5 도형 우즐카드

✎ 분류 기준에 따라 나눈 것입니다. 빈 곳에 알맞은 것의 기호를 쓰세요.

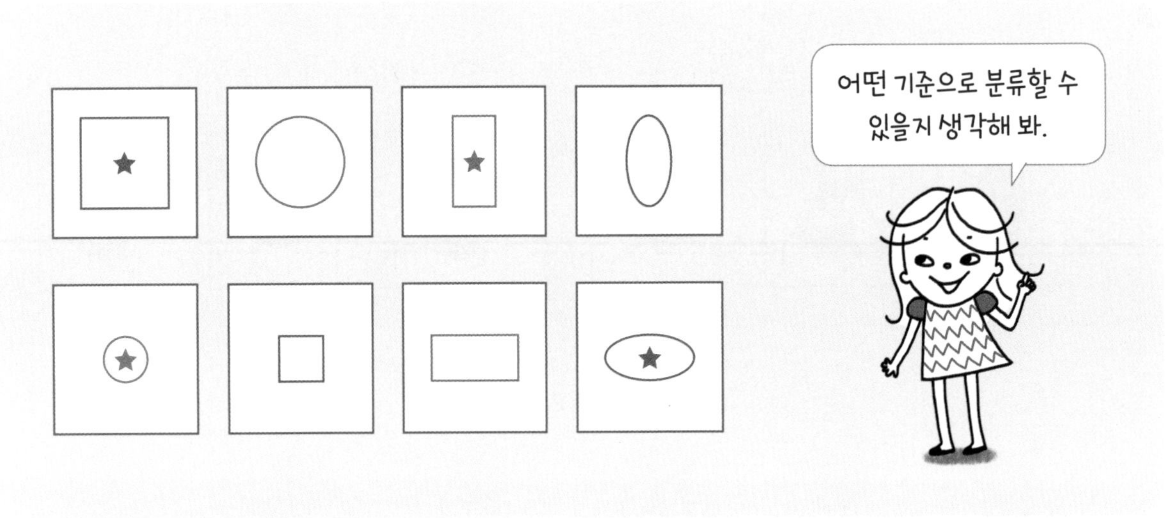
어떤 기준으로 분류할 수
있을지 생각해 봐.

❶

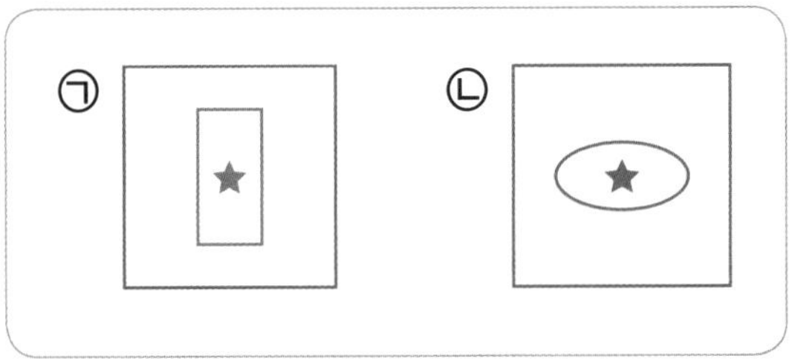
㉠
㉡

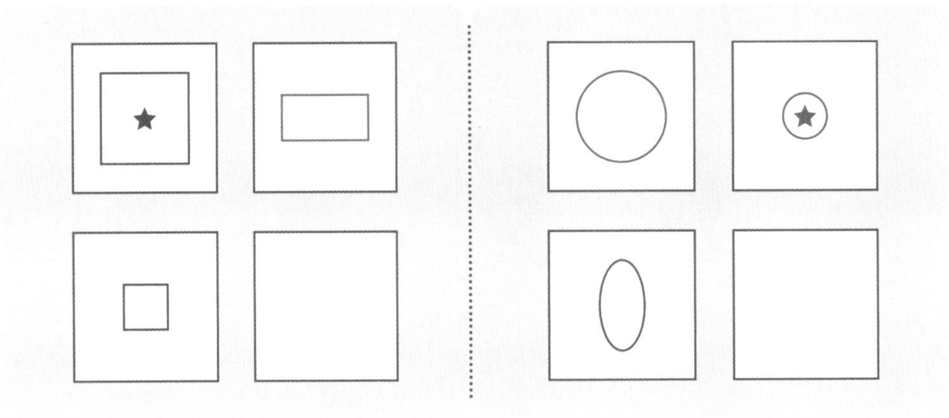

❷

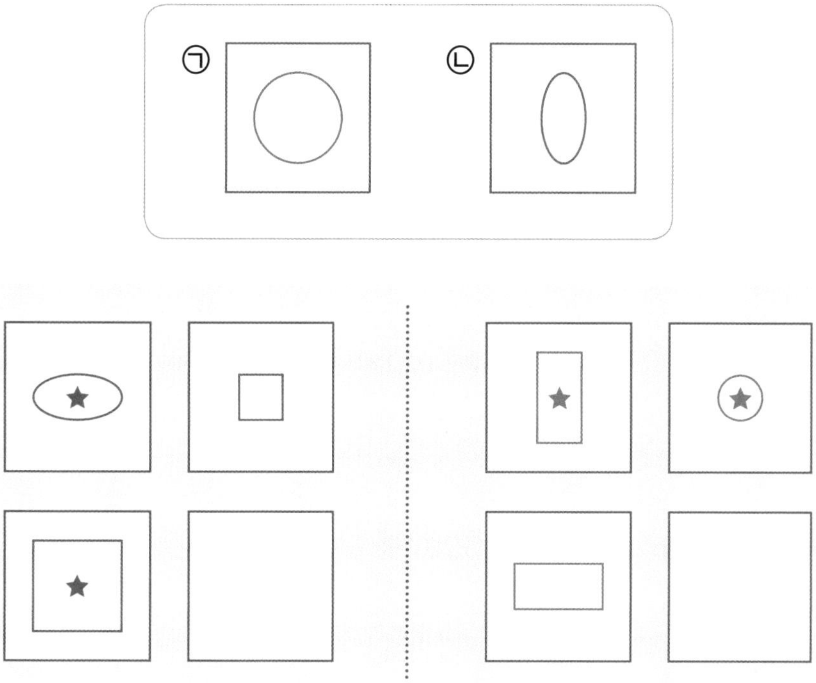

❸

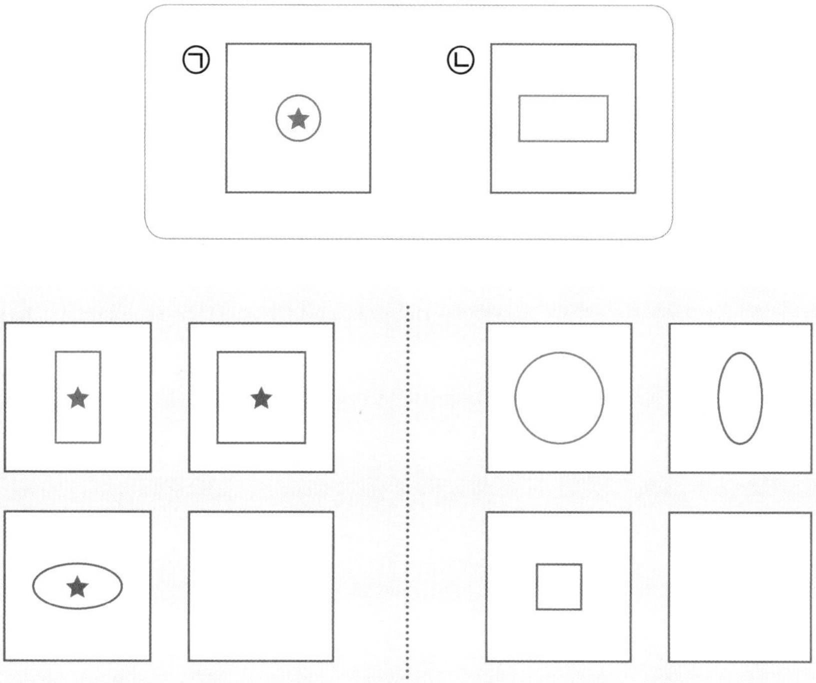

확인학습

우즐카드를 공통점을 찾아 모은 것입니다. 잘못 들어간 것에 ×표 하세요.

❶

❷

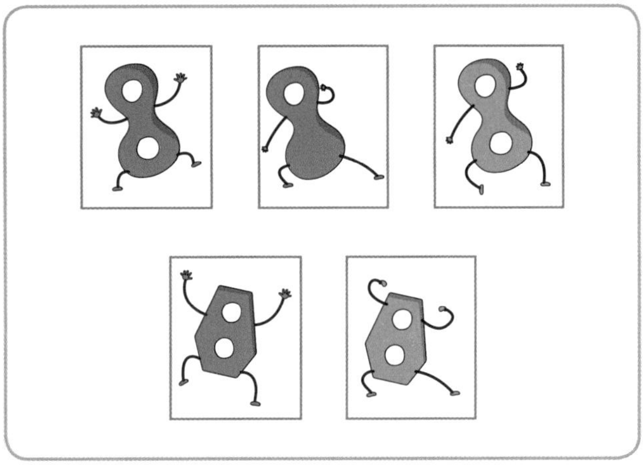

우즐카드 6장을 일정한 기준에 따라 분류한 것입니다. 빈 곳에 분류한 기준을 써넣으세요.

❸

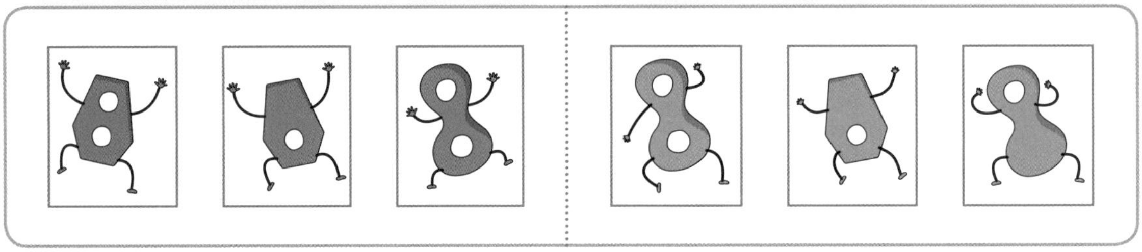

3
주차

관계 추리

DAY 1 관계 있는 물건

✎ 왼쪽의 관계를 보고 빈 곳에 알맞은 단어를 쓰세요.

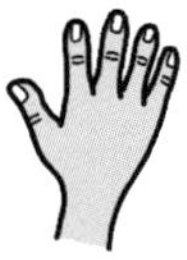
손

장갑

↔

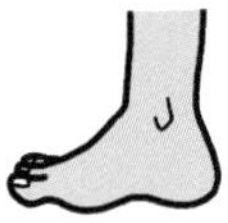
발

양말

손에는 장갑을 끼고, 발에는 양말을 신습니다.

관계를 잘 생각해 봐.
손에는 장갑을 끼고
발에는 …….

❶

원숭이

바나나

↔

당근

❷

하늘

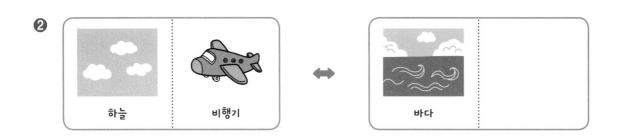

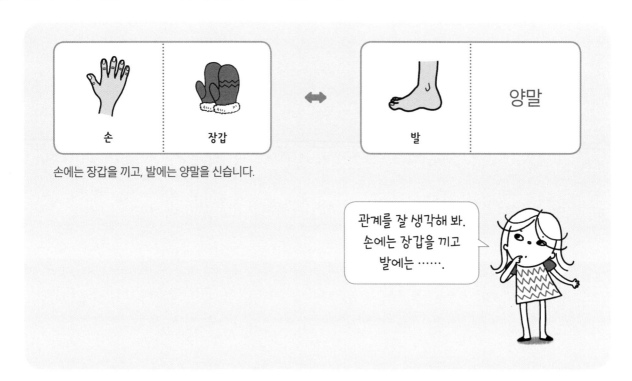

비행기

↔

바다

❸

냄비

부엌

↔

비누

❹

올챙이

개구리

↔

병아리

❺

학교

선생님

↔

경찰

❻

옷

옷장

↔

책장

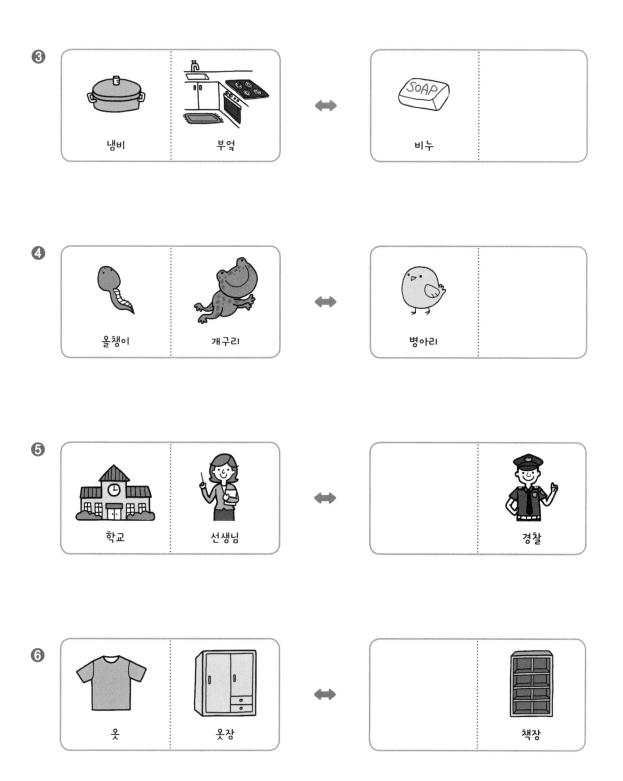

DAY 2 관계가 같은 것 (1)

관계가 같은 것끼리 선으로 이어 보세요.

❶ 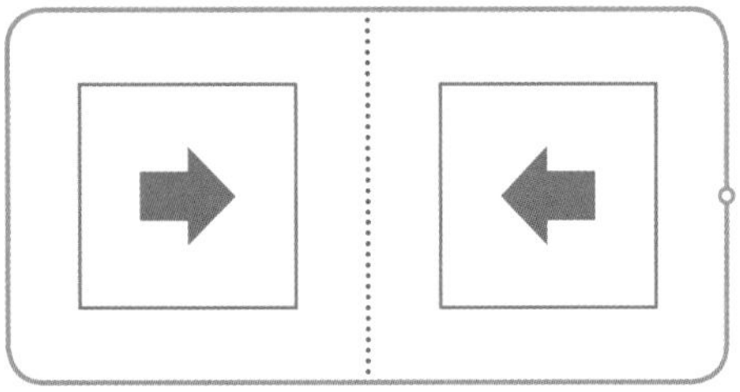

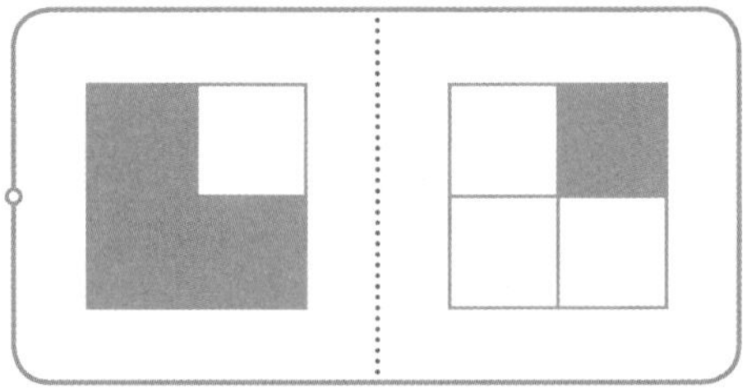

❷ 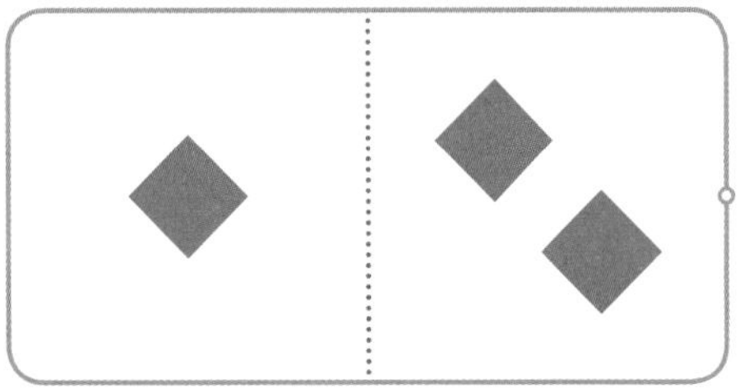

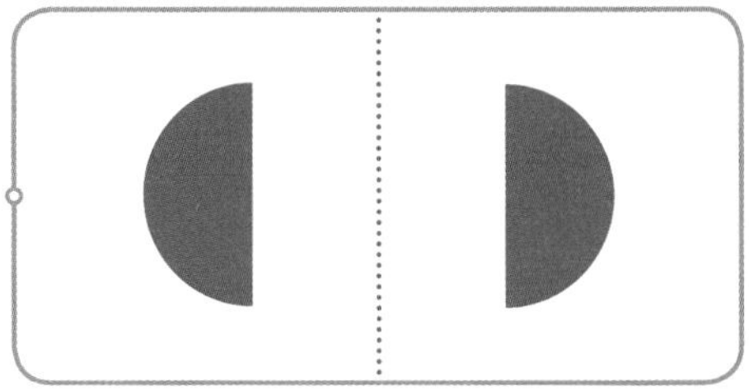

❸ 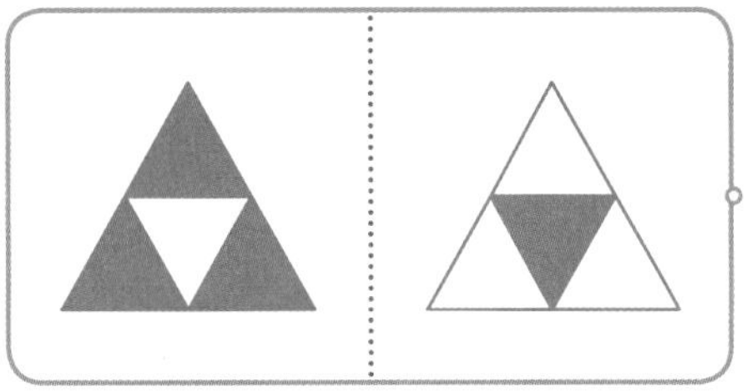

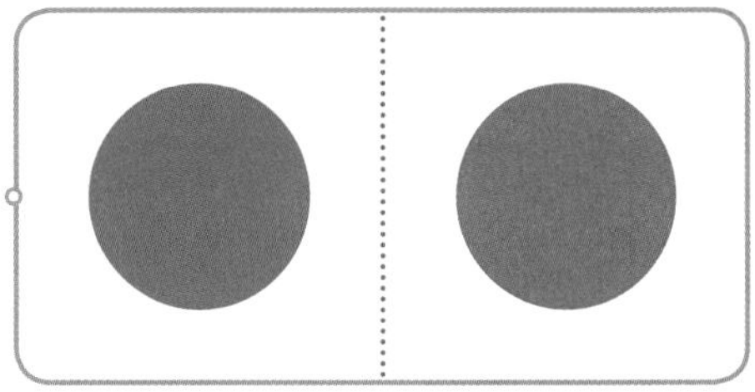

❹ 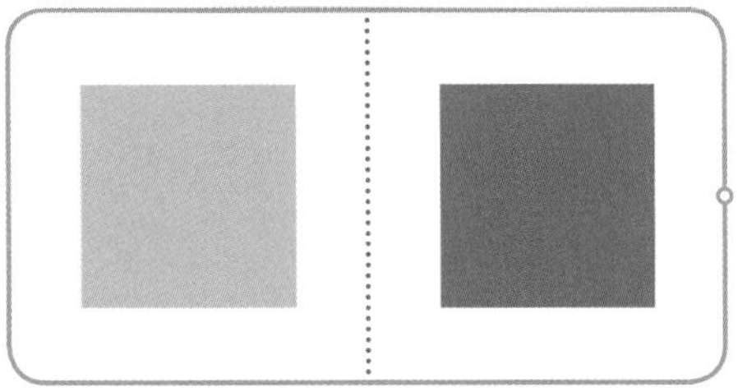

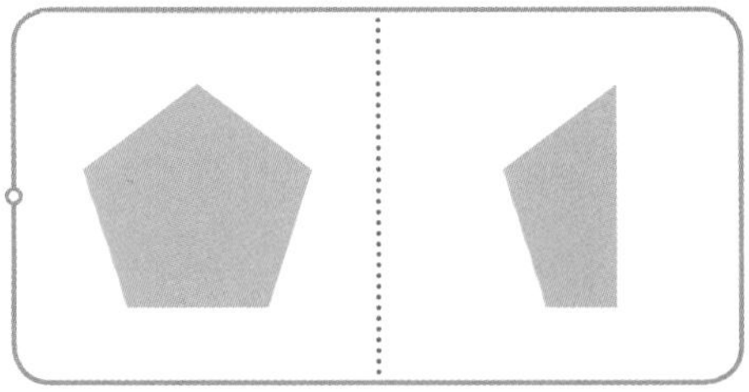

❺ 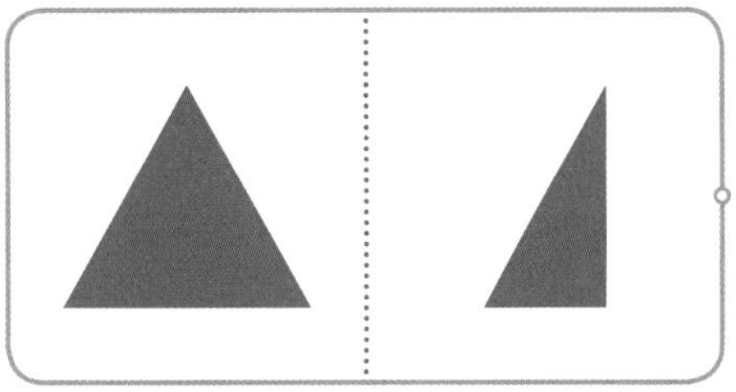

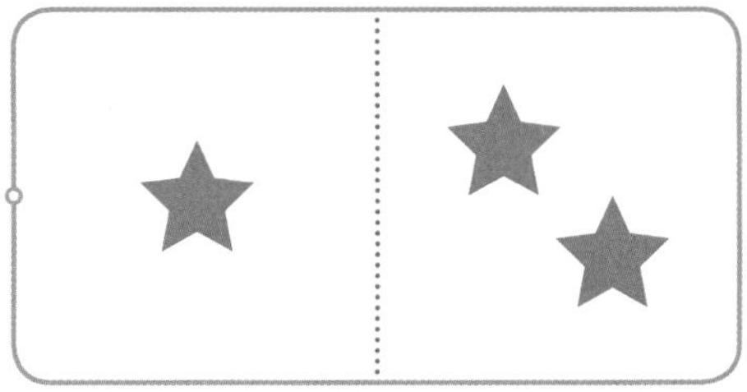

❻

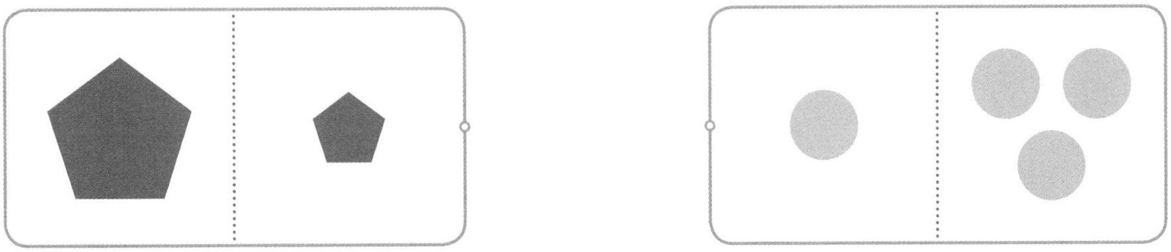

❼

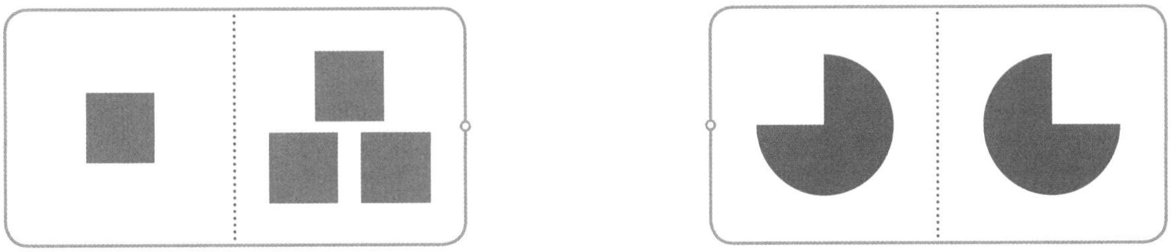

❽

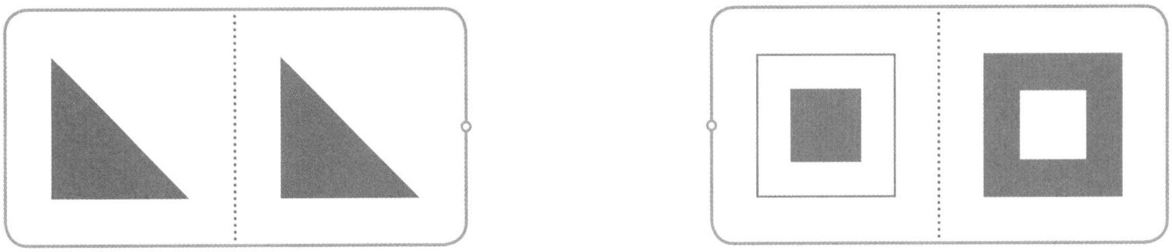

❾

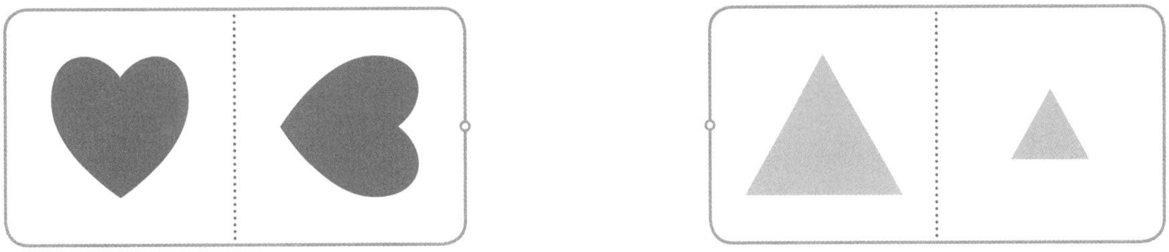

❿

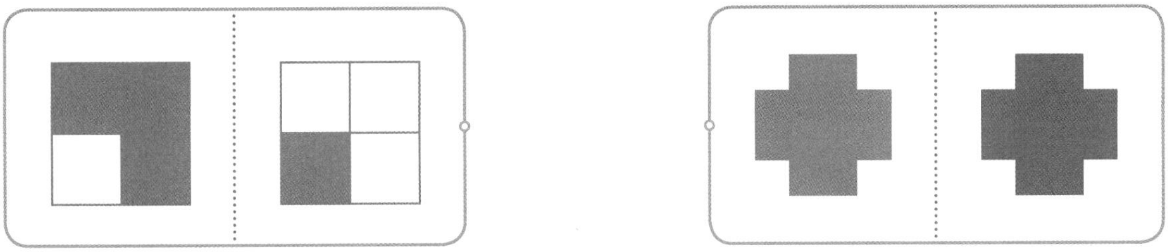

관계가 같은 것 (2)

주어진 카드와 관계가 같은 카드를 찾아 기호를 쓰세요.

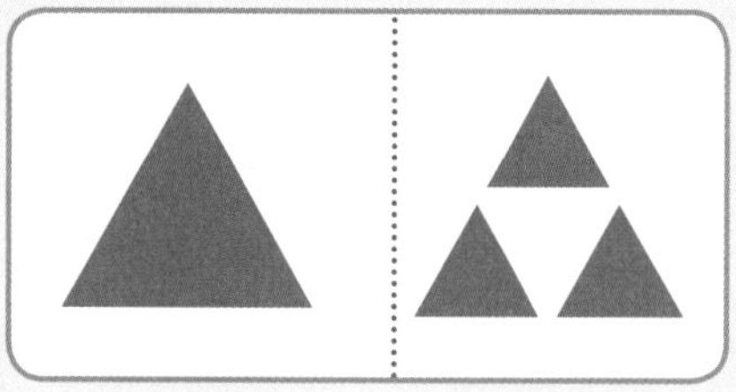

㉡

㉠

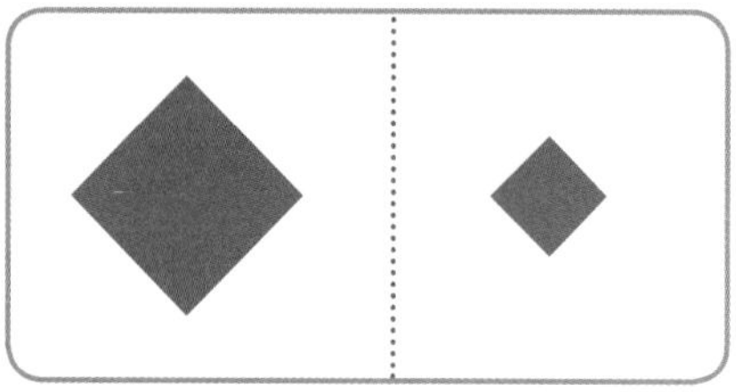

㉡

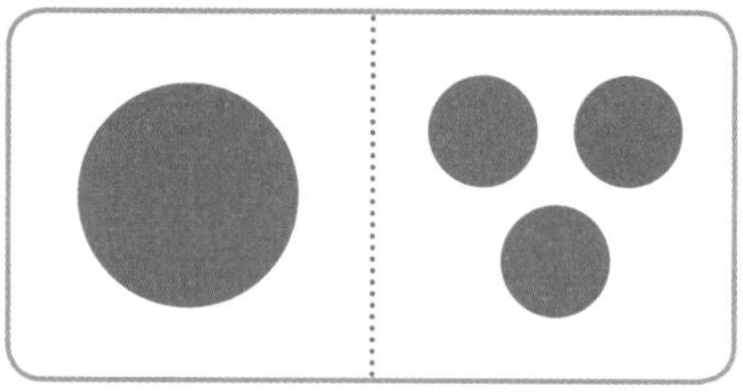

모양의 크기가 작아지면서 개수가 늘어났습니다.

❶

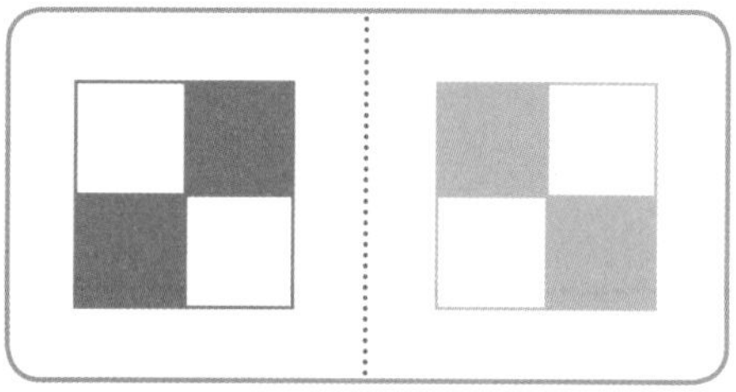

㉠

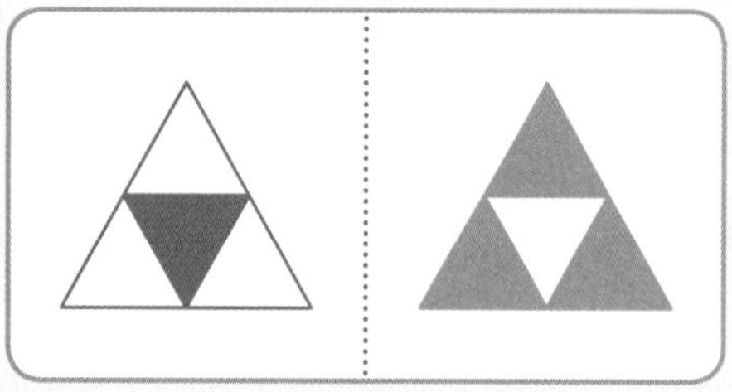

㉡

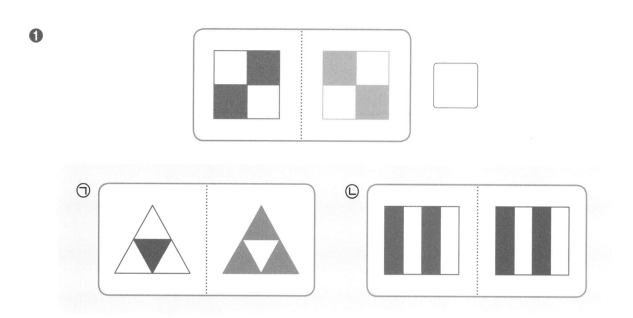

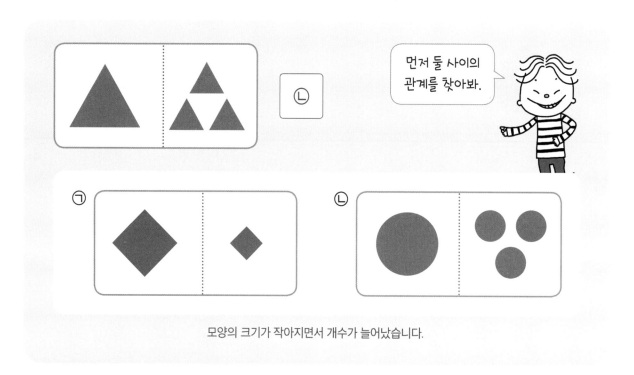

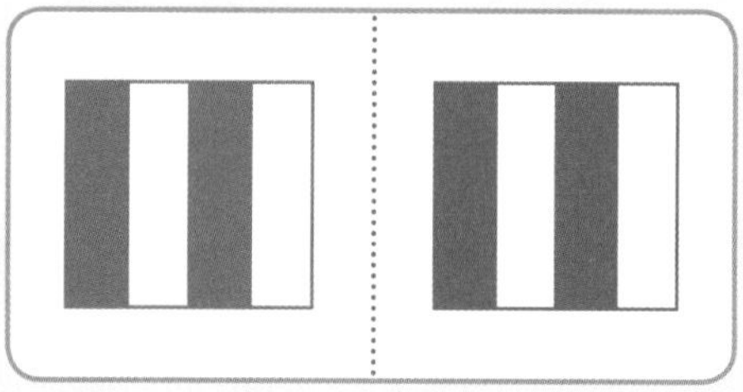

❷

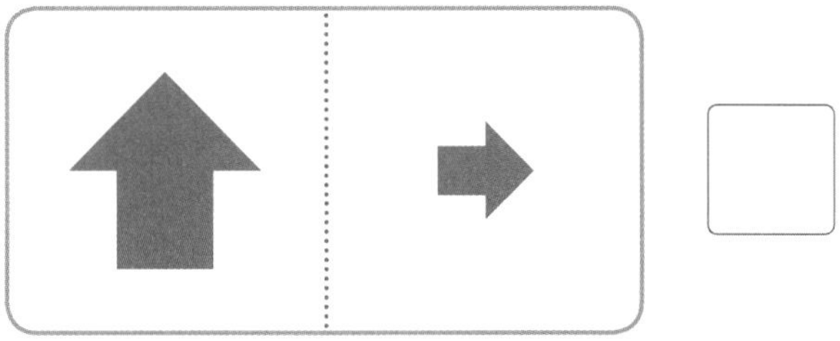

㉠

㉡

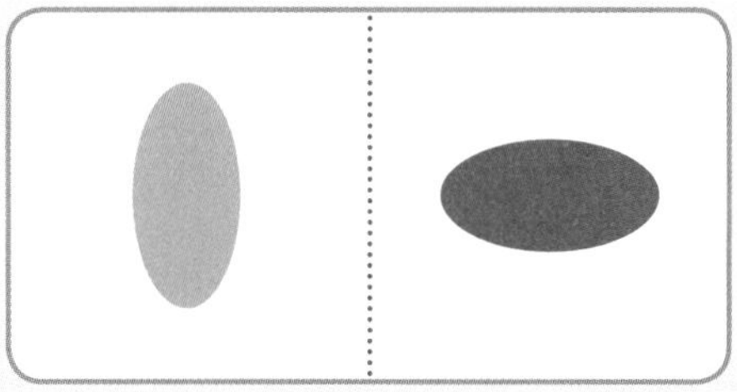

❸

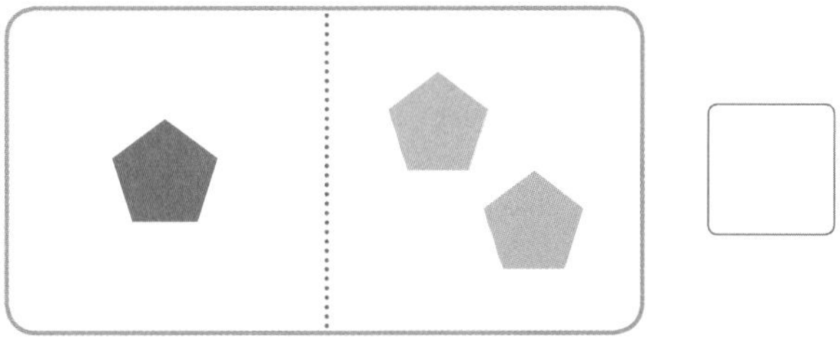

㉠

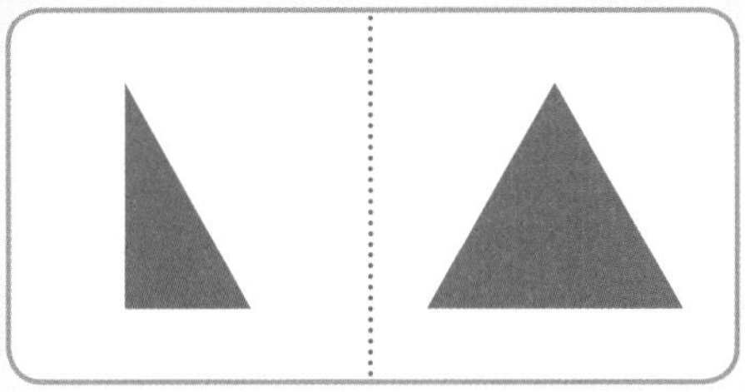

㉡

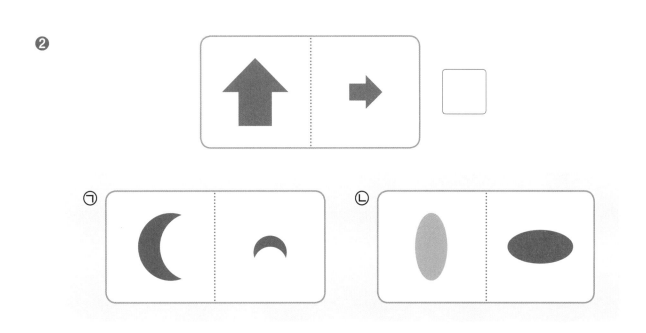

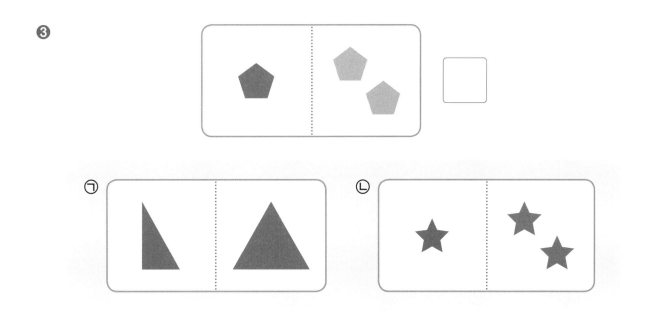

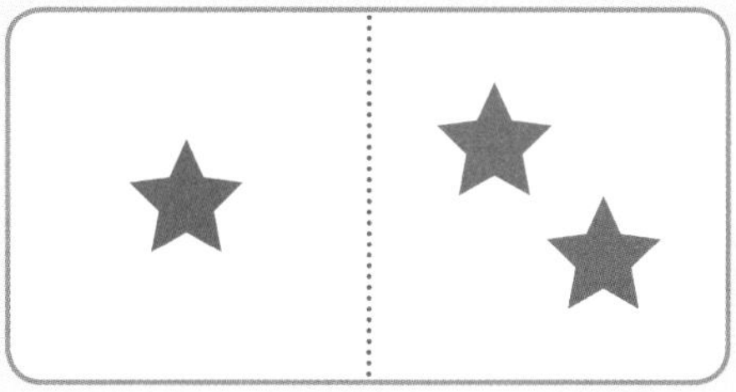

관계 매트릭스 (1)

왼쪽과 같은 관계가 되도록 오른쪽 빈 곳에 알맞은 기호를 쓰세요.

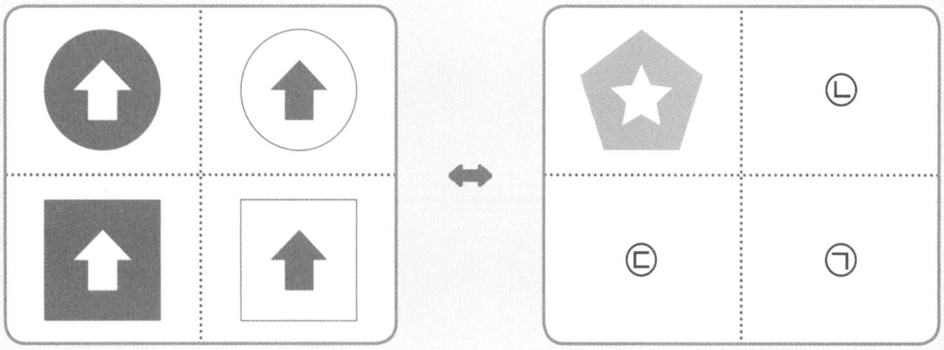

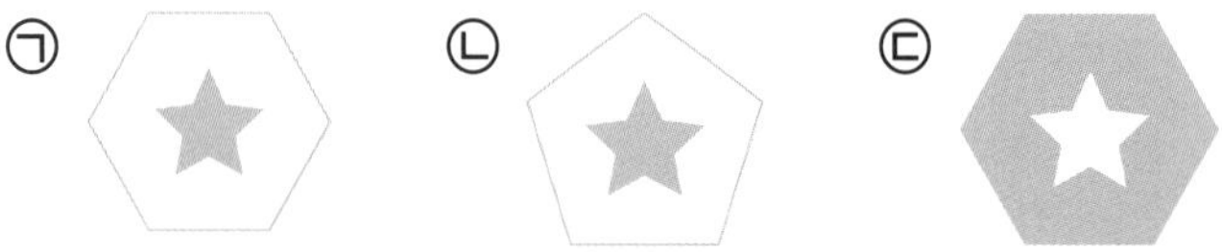

왼쪽 매트릭스에서 가로는 색이 반전되고, 세로는 바깥쪽 모양이 바뀌었습니다.
이 관계에 맞게 오른쪽 매트릭스에 똑같이 만들어 봅니다.

❶

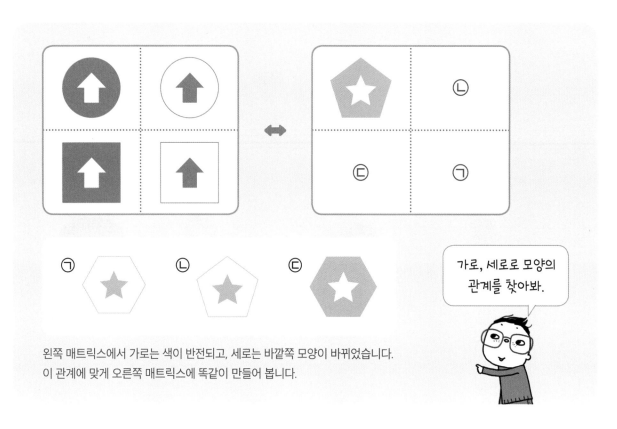

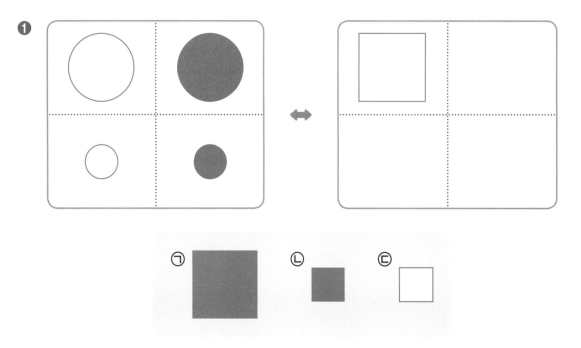

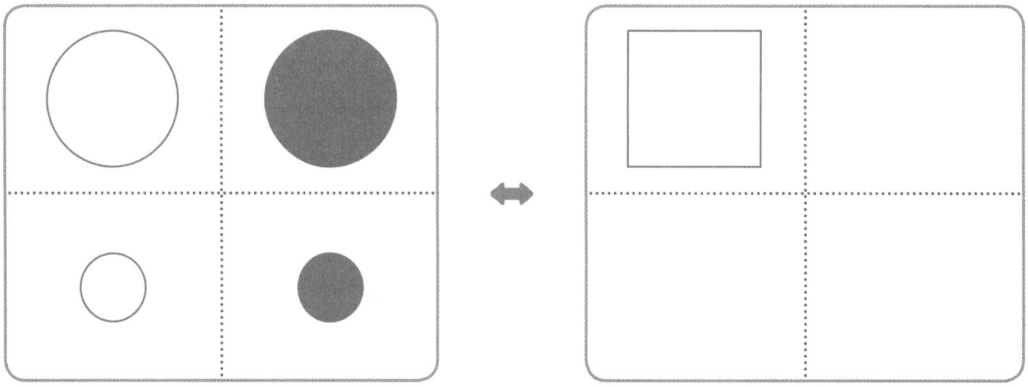

❷

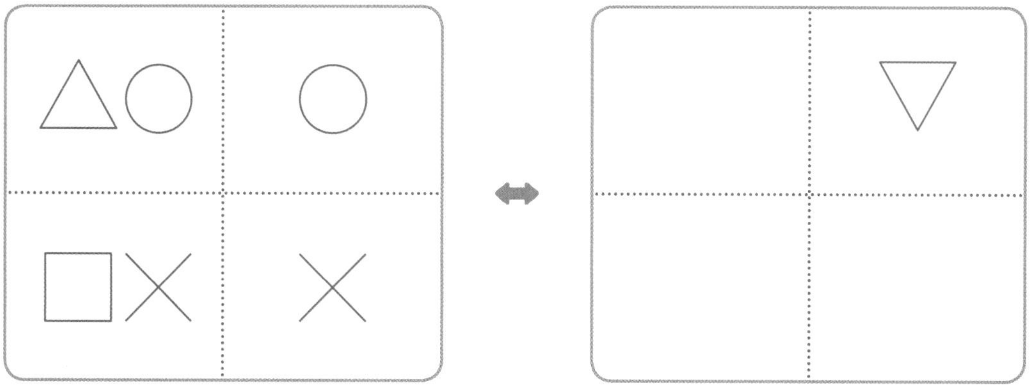

❸

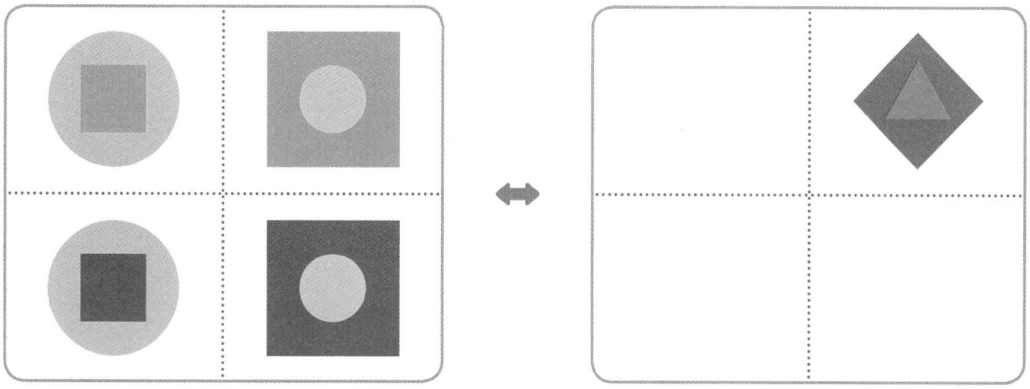

관계 매트릭스 (2)

관계를 찾아 빈 곳에 알맞은 모양을 그리거나 색칠해 보세요.

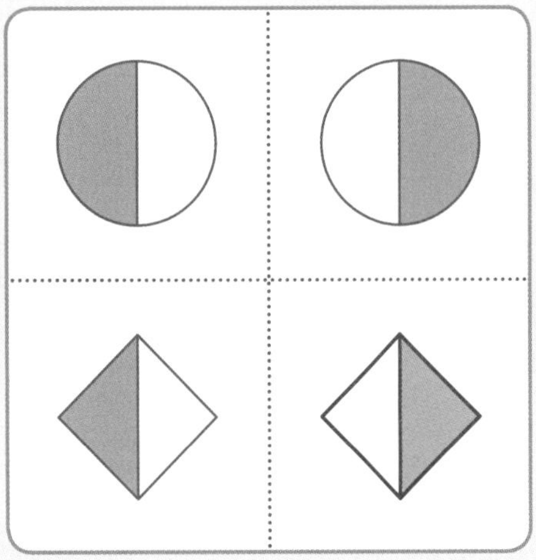

가로는 색칠한 곳이 바뀌었고, 세로는 모양이 바뀌었습니다.

가로, 세로로 모양의 관계를 찾아봐.

❶

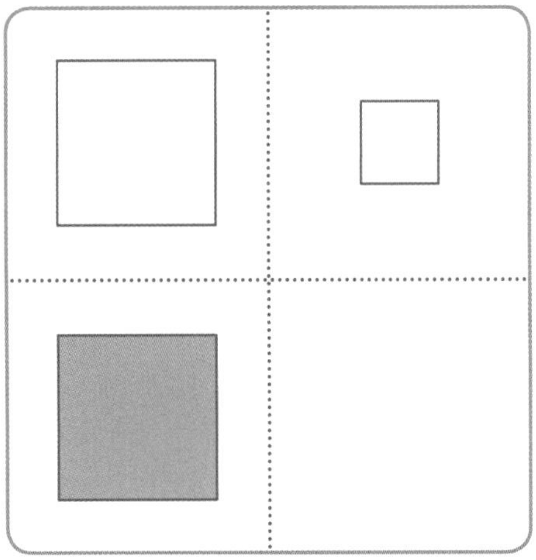

❷

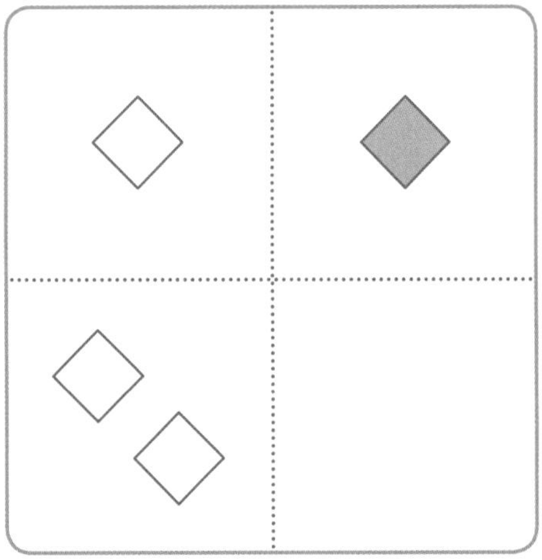

❸

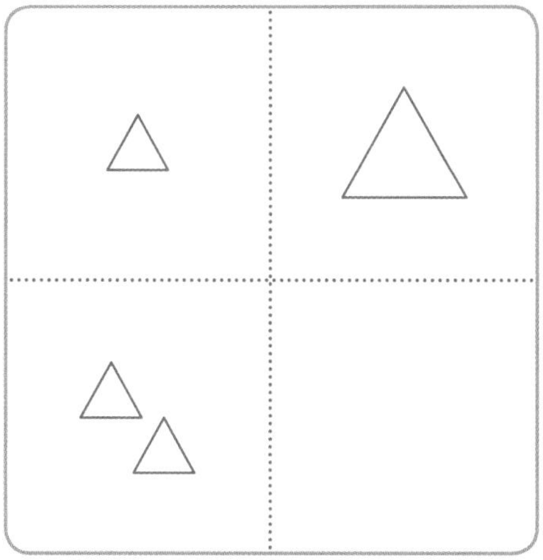

❹

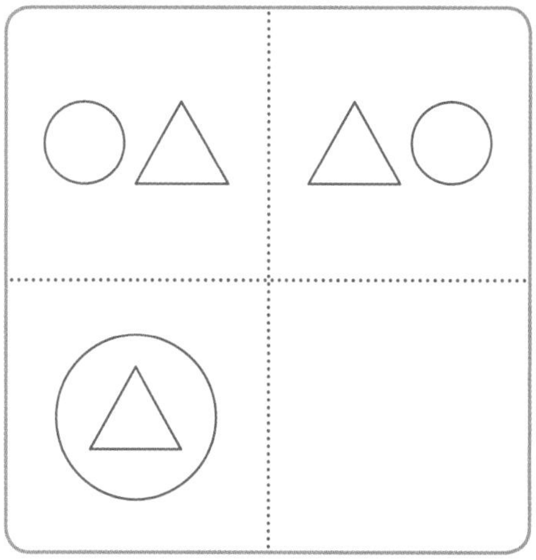

❺

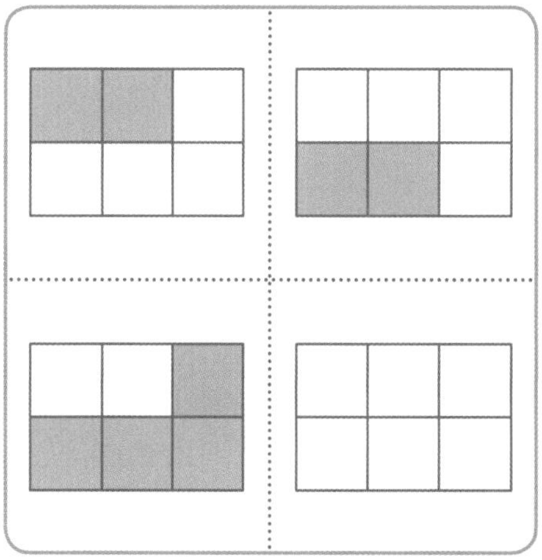

❻

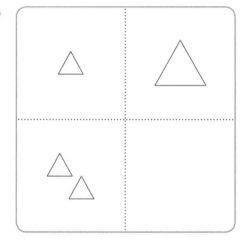

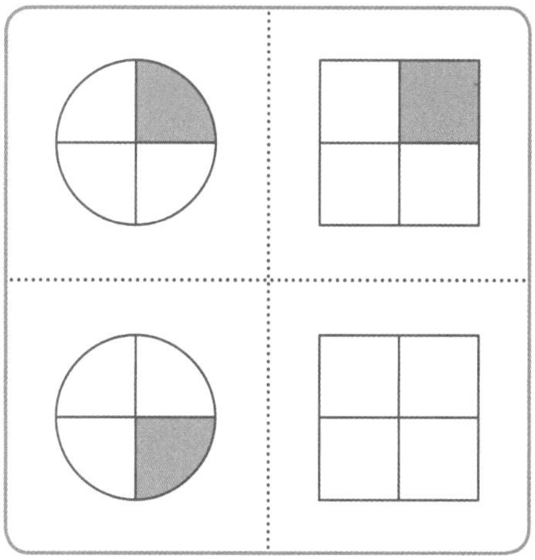

3 주차 확인학습

관계가 같은 것끼리 선으로 이어 보세요.

❶ 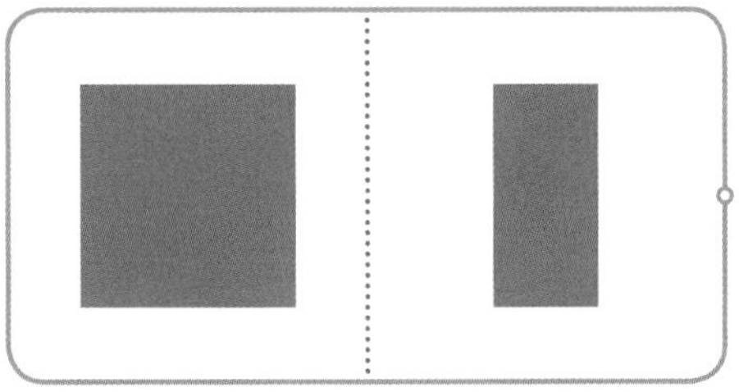

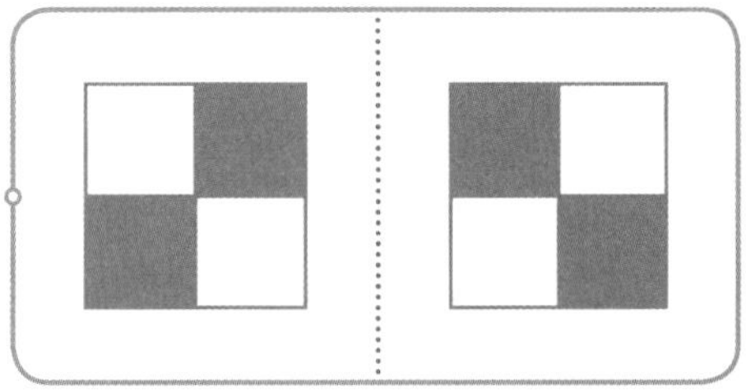

❷ 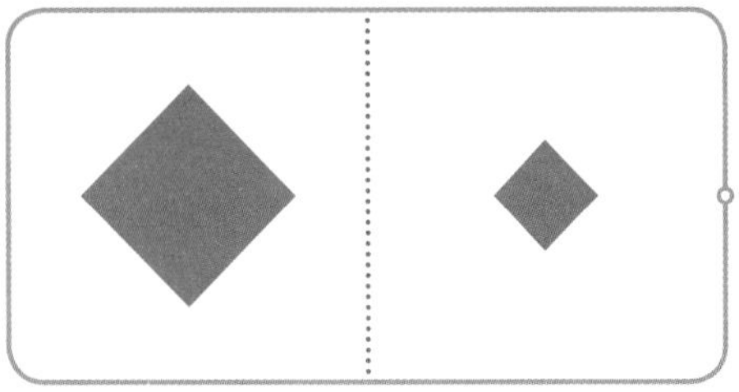

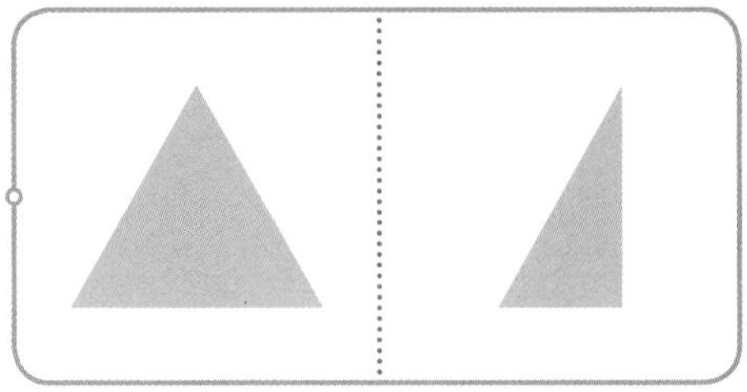

❸ 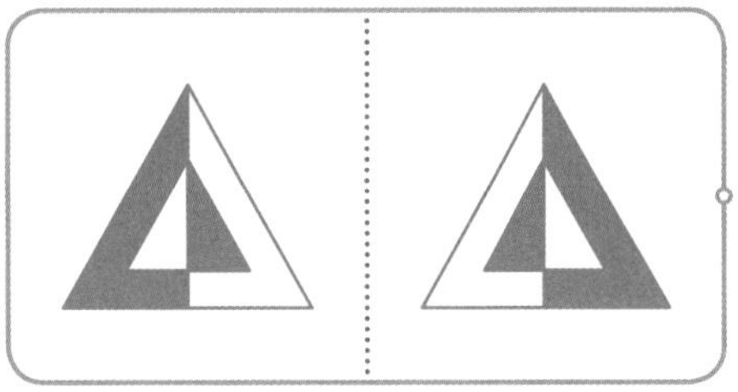

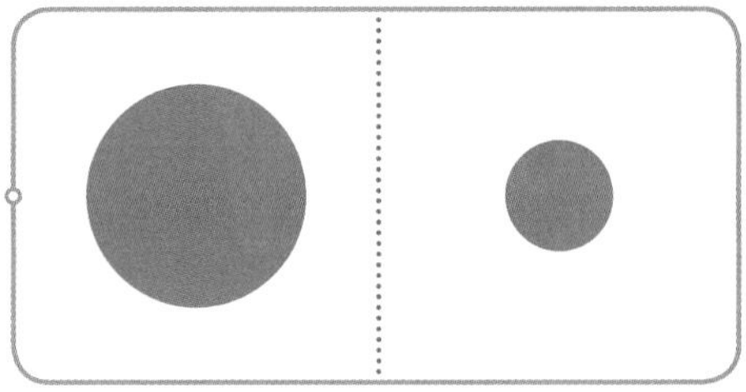

관계를 찾아 빈 곳에 알맞은 모양을 그리거나 색칠해 보세요.

❹ 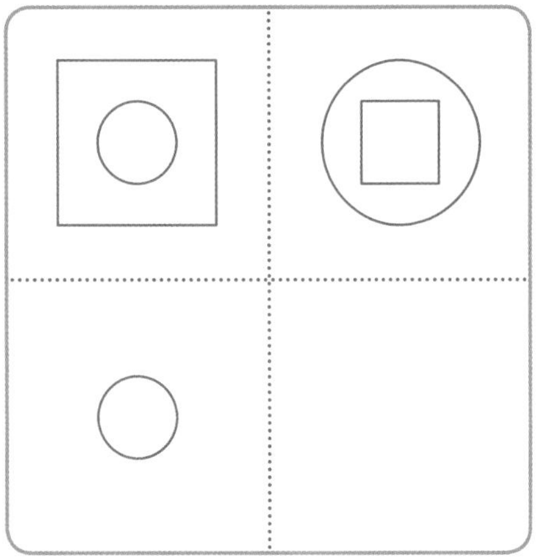

❺ 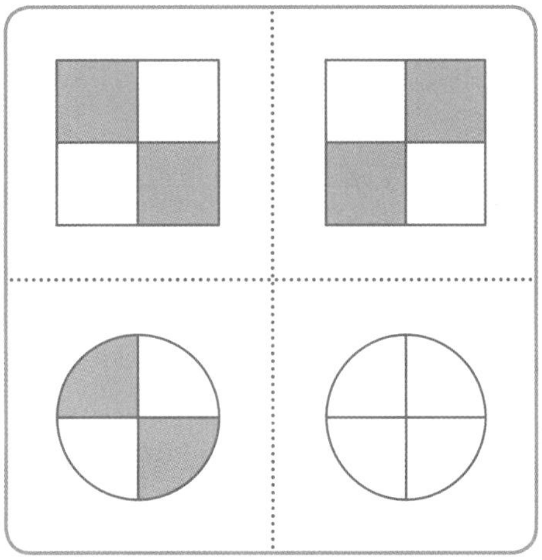

4
주차

화살표 약속

화살표 규칙 (1)

화살표 규칙에 따라 빈 곳에 알맞은 수를 써넣으세요.

규칙

➡ 1을 더합니다.

➡ 1을 뺍니다.

➡➡는 ➡ 규칙을 두 번 하라는 뜻이야.

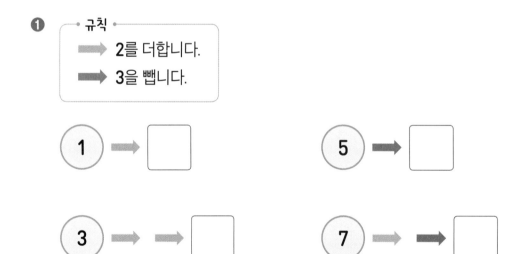

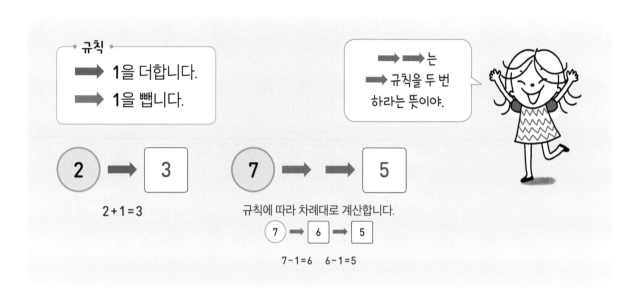

(2) ➡ [3]

2+1=3

(7) ➡ ➡ [5]

규칙에 따라 차례대로 계산합니다.

(7) ➡ [6] ➡ [5]

7-1=6　6-1=5

❶ **규칙**

➡ 2를 더합니다.

➡ 3을 뺍니다.

(1) ➡ [ ]

(5) ➡ [ ]

(3) ➡ ➡ [ ]

(7) ➡ ➡ [ ]

❷ 규칙

➡ 1을 더합니다.

⟶ 2를 더합니다.

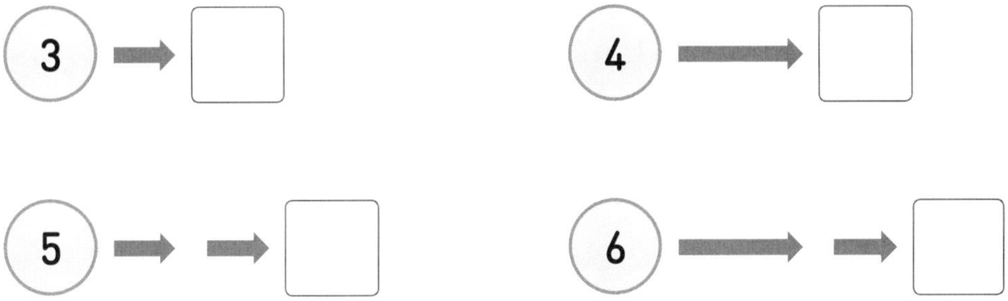

❸ 규칙

➡ 4를 더합니다.

→ 2를 뺍니다.

화살표 규칙 찾기 (1)

화살표 규칙을 찾아 빈 곳에 알맞은 수를 써넣으세요.

규칙

3 ➡ 5　　4 ➡ 6

4 ➡ 3　　8 ➡ 7

(7) ➡ ➡ [8]

➡는 2를 더하는 규칙이고,

➡는 1을 빼는 규칙입니다.

(7) ➡ [9] ➡ [8]

7+2=9　9-1=8

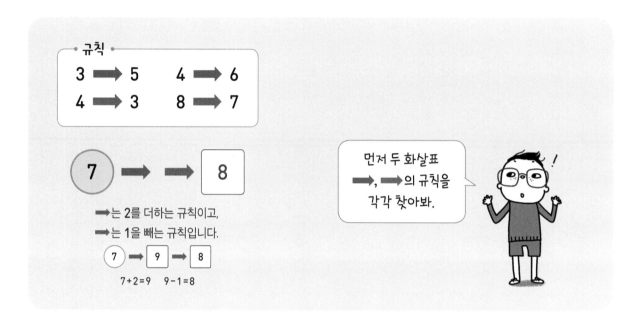

먼저 두 화살표
➡, ➡의 규칙을
각각 찾아봐.

❶ 규칙

1 ➡ 2　　5 ➡ 6

(3) ➡ ➡ [　]

❷ 규칙

4 ➡ 1　　6 ➡ 3

(8) ➡ ➡ [　]

❸ 규칙

1 ➡ 4　　3 ➡ 6
6 ➡ 4　　8 ➡ 6

(2) ➡ ➡ □

(7) ➡ ➡ □

❹ 규칙

2 ⇨ 6　　4 ⇨ 8
7 ➡ 3　　8 ➡ 4

(3) ⇨ ➡ □

(5) ➡ ⇨ □

❺ 규칙

3 —★→ 5　　5 —★→ 7
4 —▲→ 1　　6 —▲→ 3

(6) —★→ —▲→ □

(7) —▲→ —▲→ —★→ □

❻ 규칙

2 —●→ 3　　3 —●→ 4
4 —○→ 2　　5 —○→ 3

(8) —○→ —○→ □

(1) —●→ —○→ —●→ □

화살표 규칙 (2)

화살표 규칙에 따라 빈 곳에 알맞은 그림을 그리거나 색칠해 보세요.

규칙

→ 크기가 작아집니다.

→ 개수가 1개 늘어납니다.

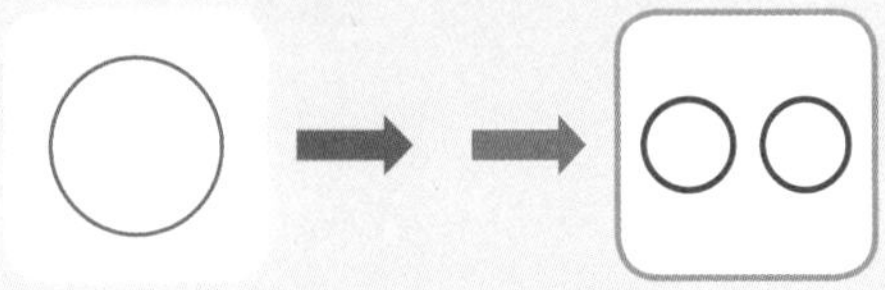

순서대로 규칙에
맞게 그려 봐.

규칙에 따라 차례로 바꿔 봅니다.

❶ **규칙**

→ 색칠합니다.

→ 크기가 커집니다.

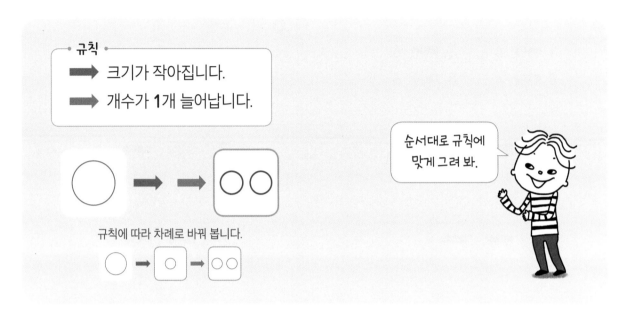

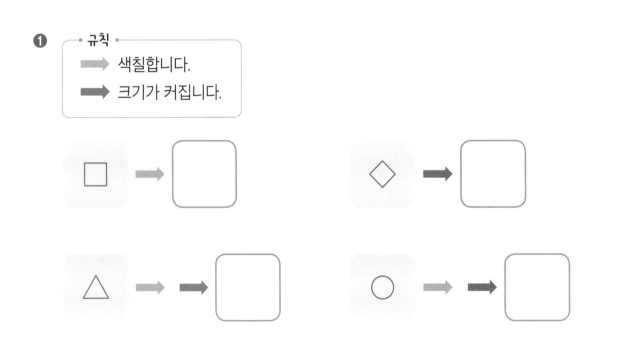

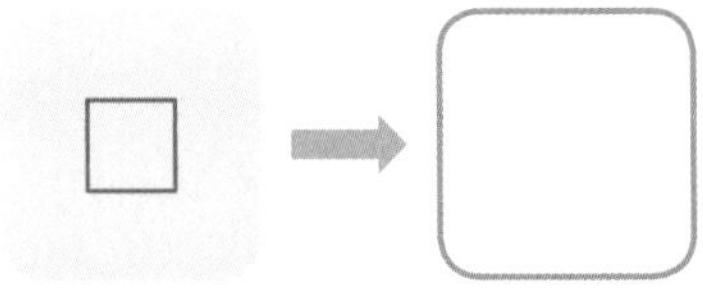

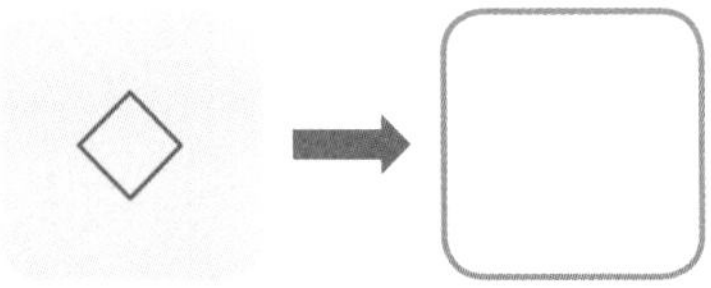

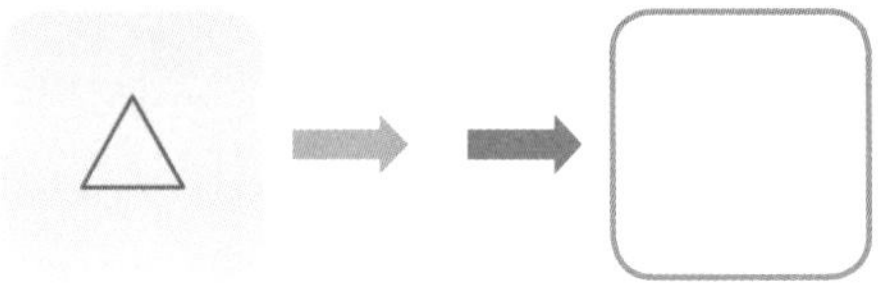

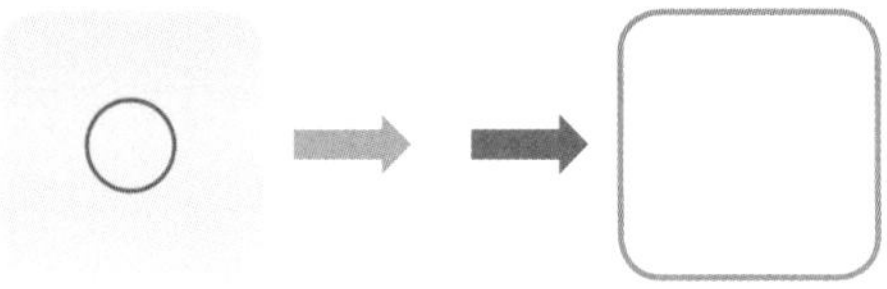

❷ **규칙**

➡ 1개가 늘어납니다.

⟹ 위아래가 바뀝니다.

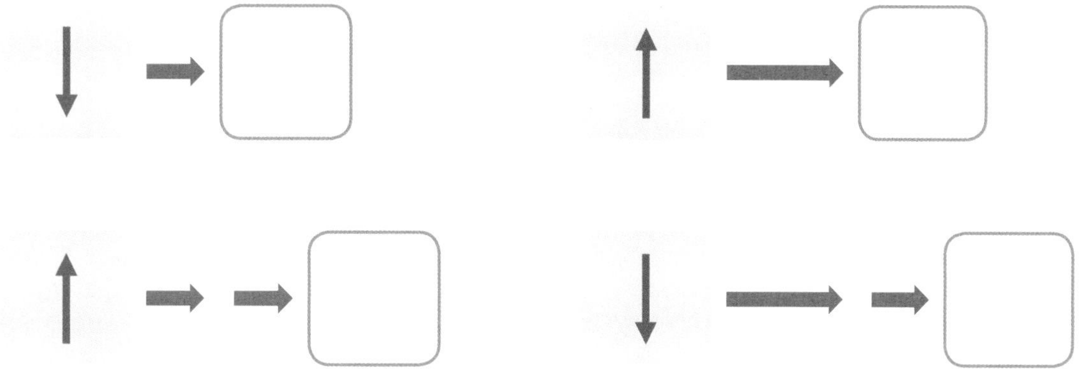

❸ **규칙**

➡ 색칠된 칸이 ↷ 방향으로 1칸 이동합니다.

⟶ 색칠된 칸이 ↶ 방향으로 1칸 이동합니다.

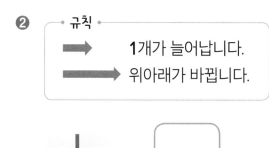

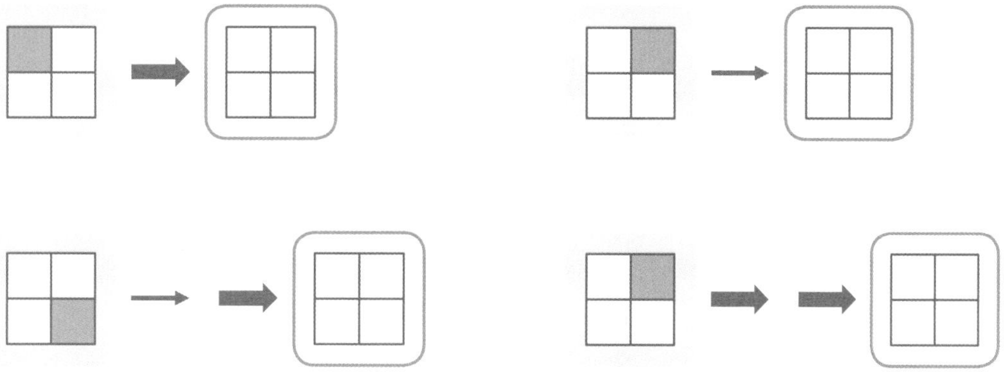

화살표 규칙 찾기 (2)

화살표 규칙을 찾아 빈 곳에 알맞은 그림을 그리거나 색칠해 보세요.

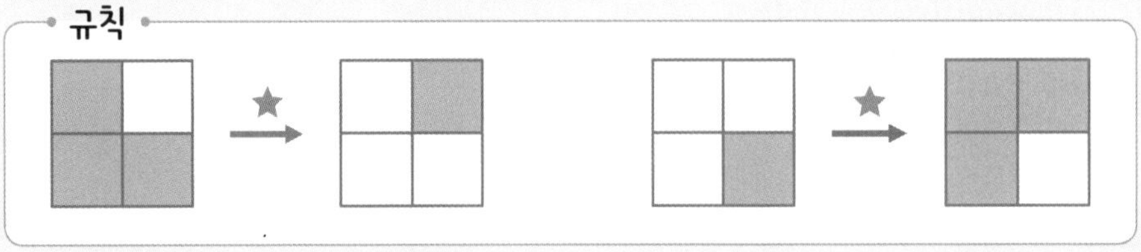

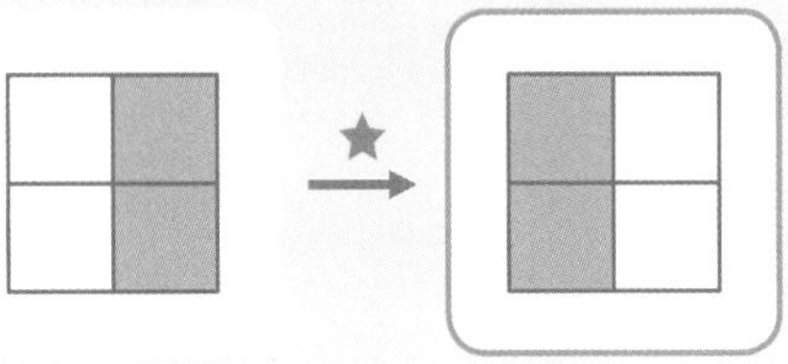

색이 반전되는 규칙입니다.

❶

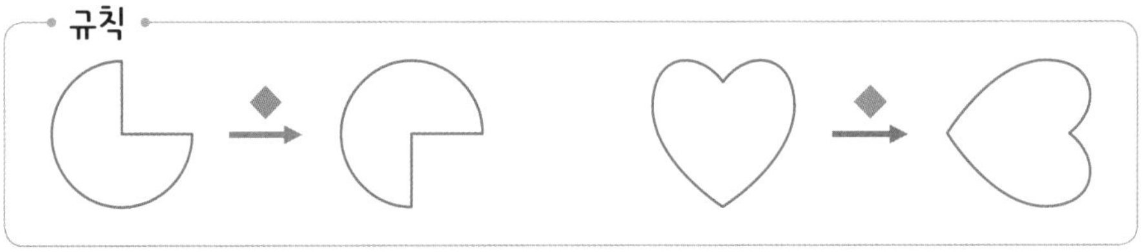

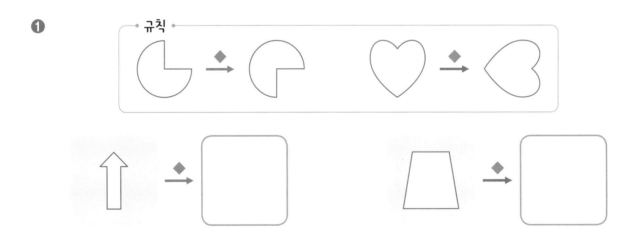

❷

규칙

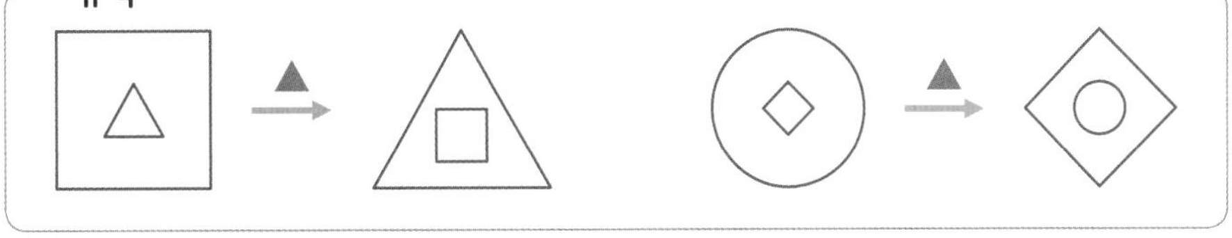

❸

규칙

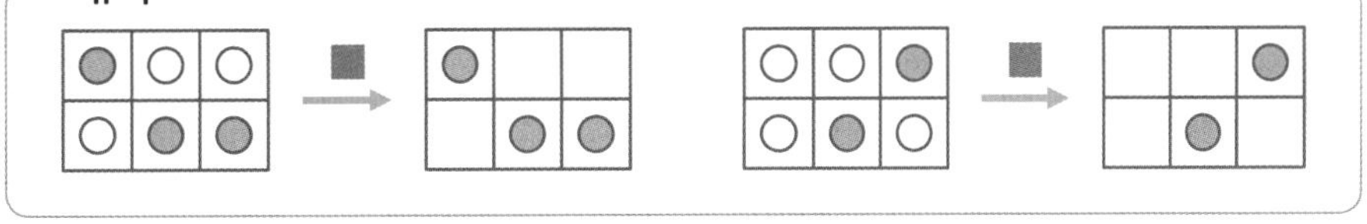

❹

규칙

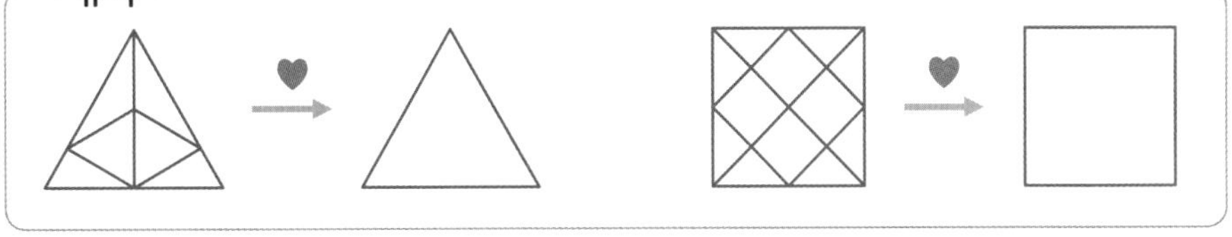

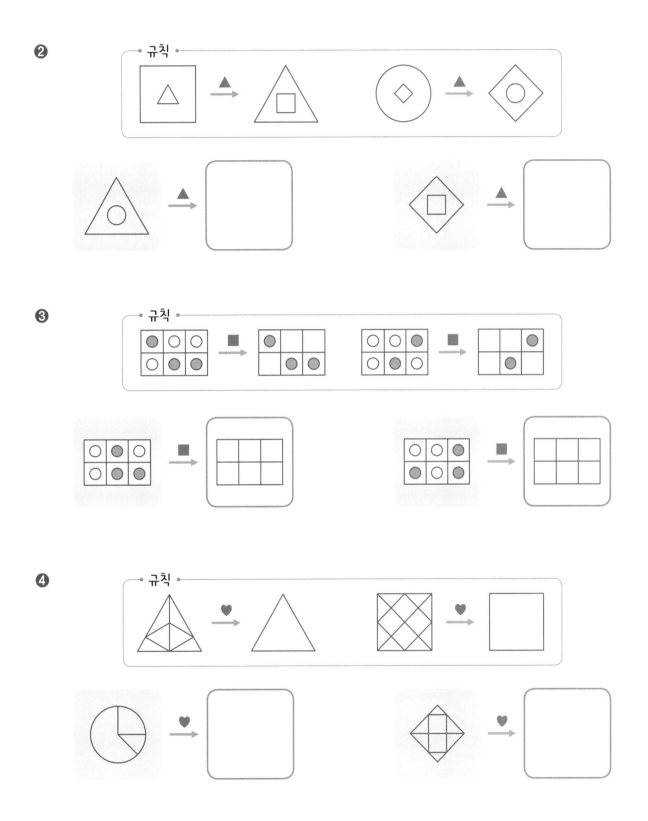

DAY 5

모양 합치기

✎ 모양이 합쳐지는 규칙을 찾아 알맞게 색칠해 보세요.

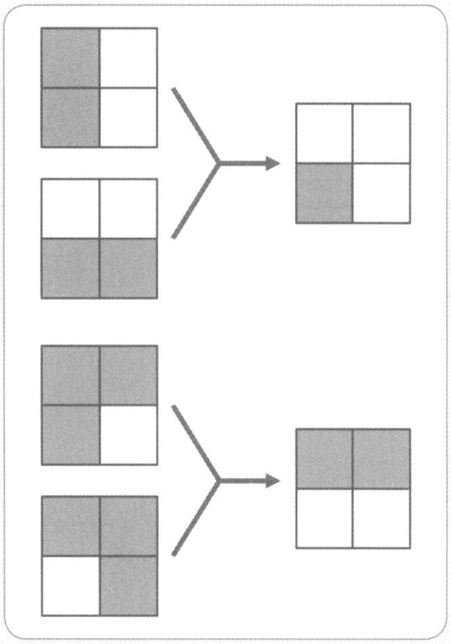

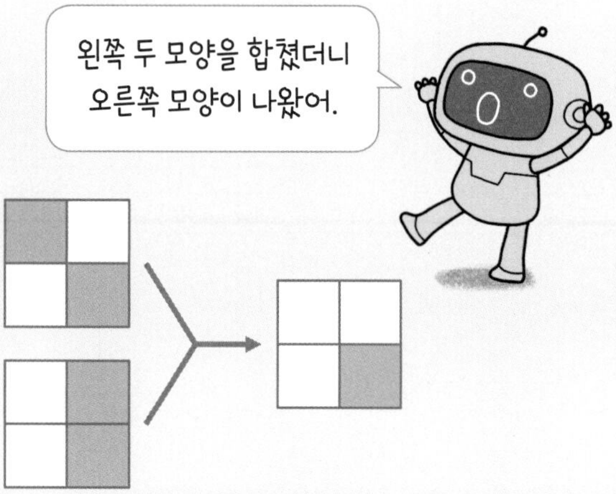
왼쪽 두 모양을 합쳤더니
오른쪽 모양이 나왔어.

왼쪽 두 모양에서 모두 색칠된 칸을
오른쪽 모양에 색칠하는 규칙입니다.

❶

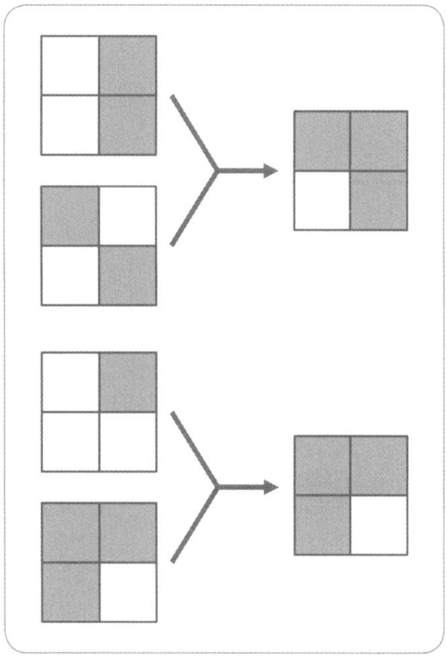

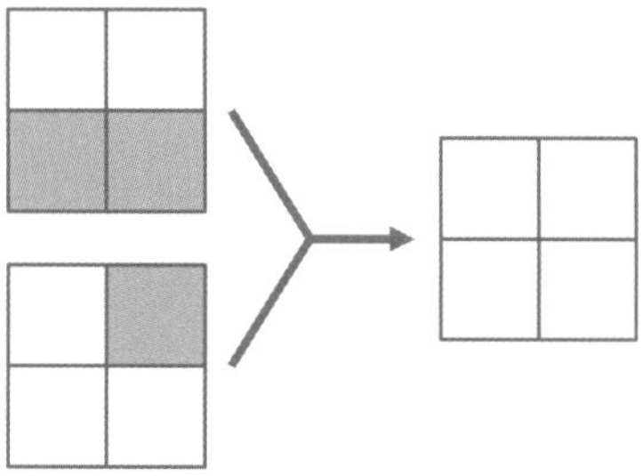

❷

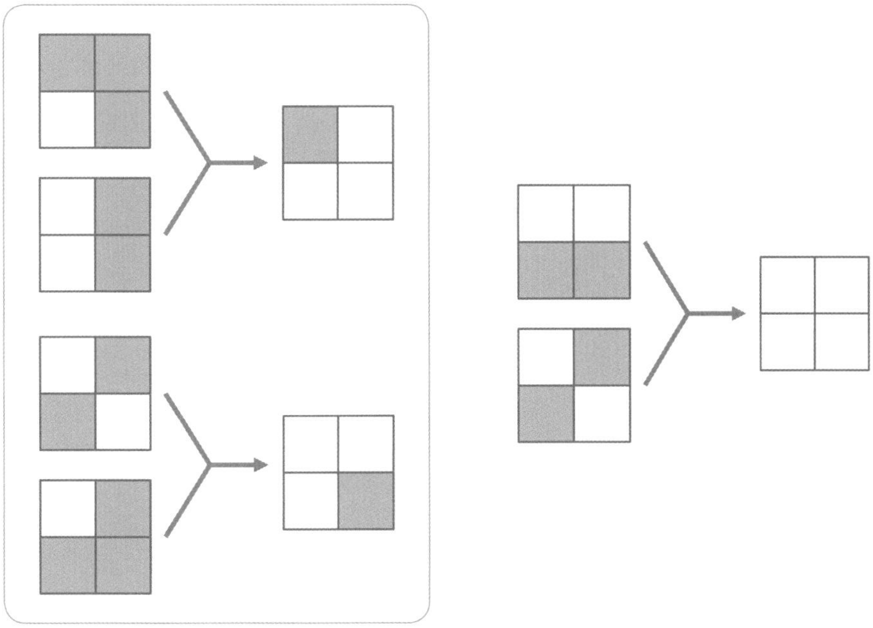

❸

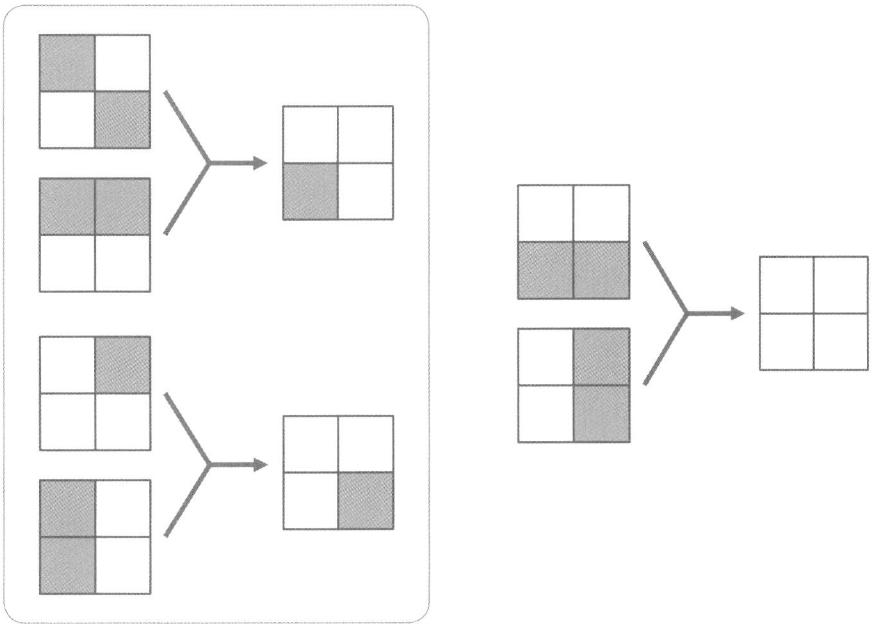

확인학습

✎ 화살표 규칙을 찾아 빈 곳에 알맞은 수를 써넣으세요.

❶

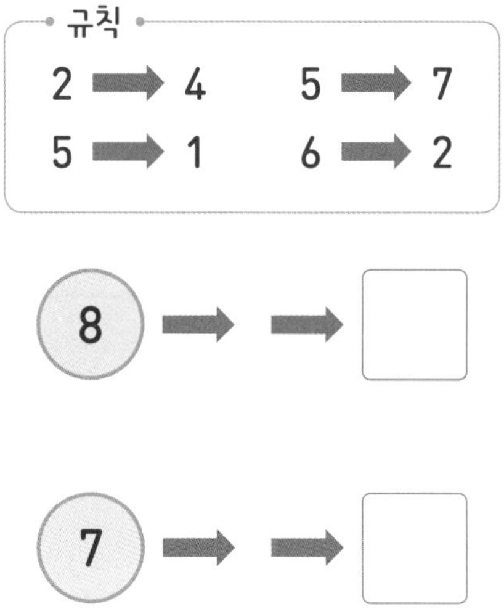

❷

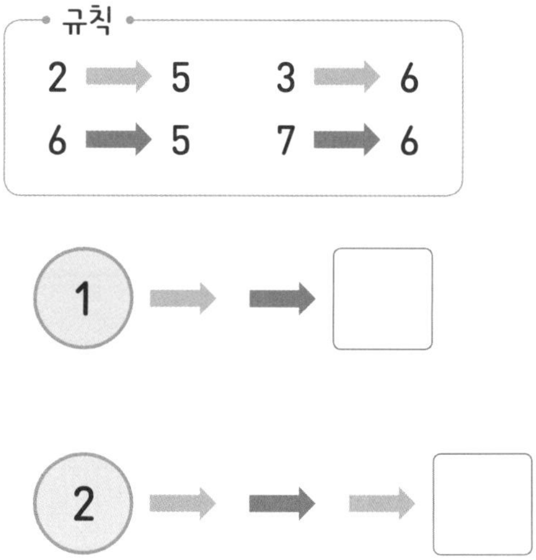

✎ 모양이 합쳐지는 규칙을 찾아 알맞게 색칠해 보세요.

❸

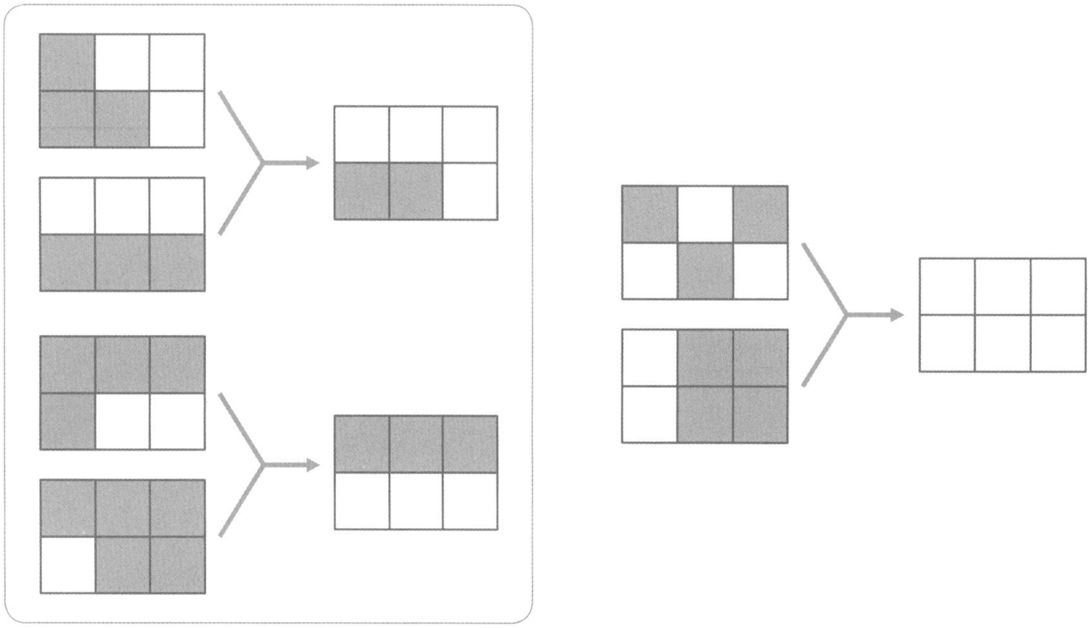

마무리 평가

마무리 평가는 앞에서 공부한 4주차의 유형이 다음과 같은 순서로 나와요.
틀린 문제는 몇 주차인지 확인하여 반드시 다시 한 번 학습하도록 해요.

1주차	3주차
2주차	4주차

마무리 평가

설명하는 것을 찾아 ○표 하세요.

❶

1. 먹을 수 있습니다.
2. ○ 모양입니다.
3. 빨간색입니다.

우즐카드 6장을 일정한 기준에 따라 분류한 것입니다. 빈 곳에 분류한 기준을 써넣으세요.

❷

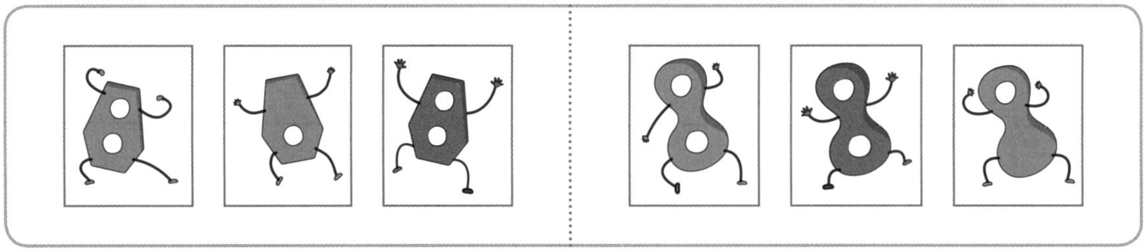

❸

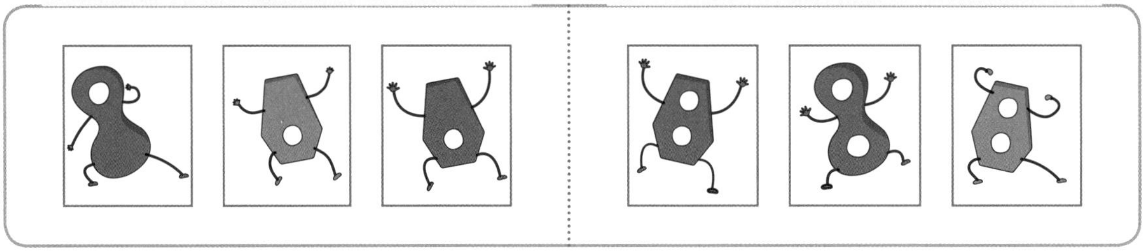

주어진 카드와 관계가 같은 카드를 찾아 기호를 쓰세요.

❹

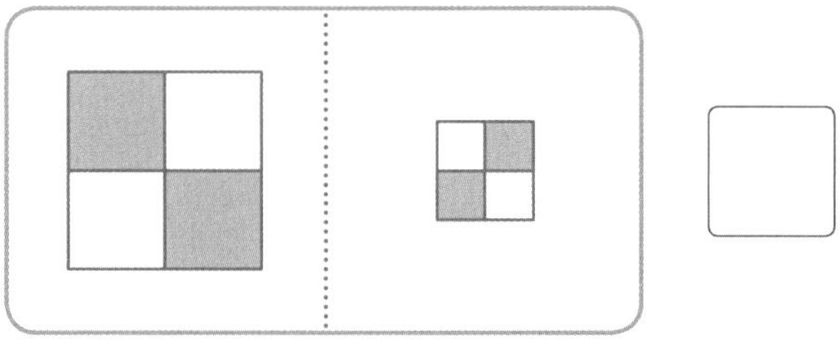

㉠

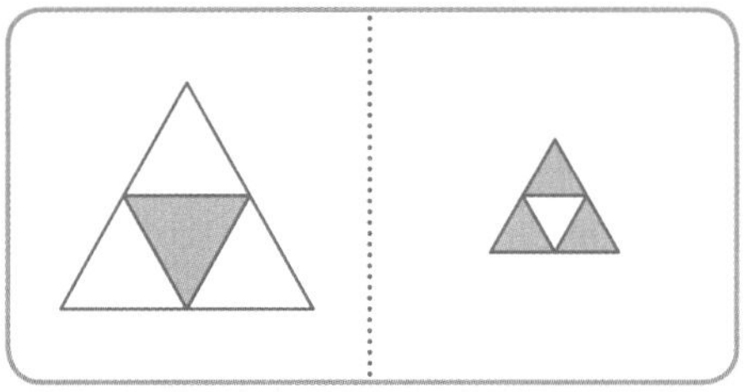

㉡

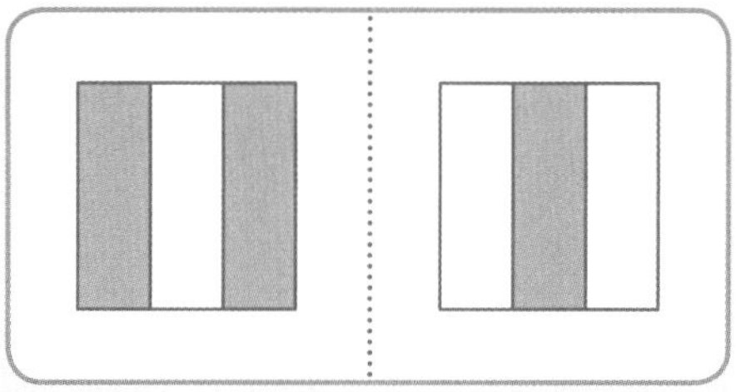

화살표 규칙에 따라 빈 곳에 알맞은 수를 써넣으세요.

❺

규칙

3을 더합니다.

2를 뺍니다.

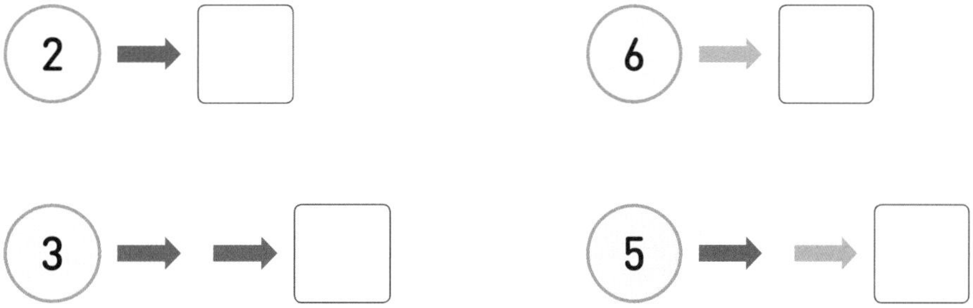

TEST 2 마무리 평가

✤ 공통점을 찾아 선으로 이어 보세요.

❶ 

채소입니다.

❷ 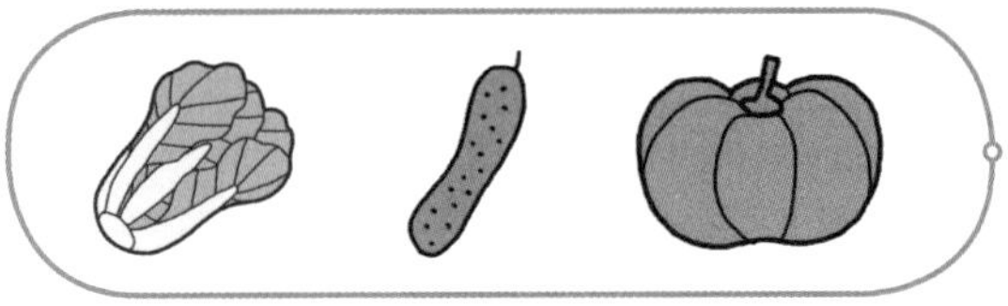

전기가 필요한 물건입니다.

❸ 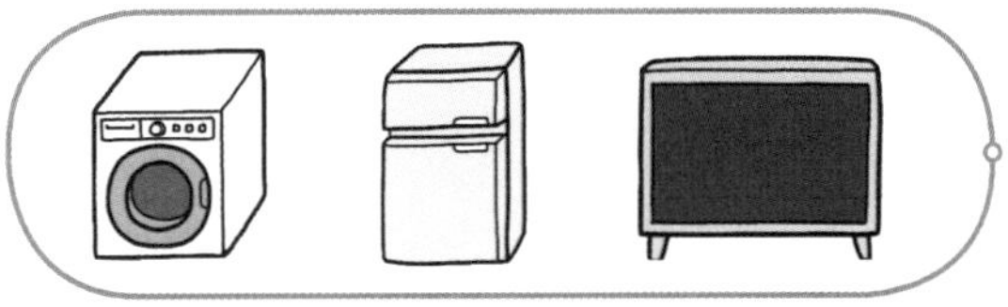

쓰거나 그릴 수 있는 물건입니다.

✤ 우즐카드를 공통점을 찾아 모은 것입니다. 잘못 들어간 것에 ×표 하세요.

❹ 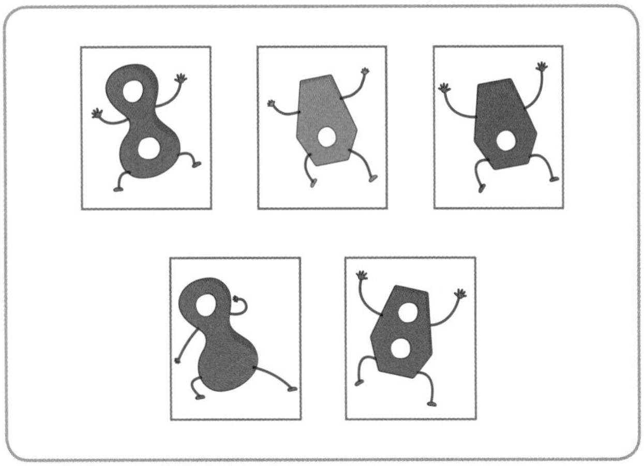

✿ 왼쪽과 같은 관계가 되도록 오른쪽 빈 곳에 알맞은 기호를 쓰세요.

❺

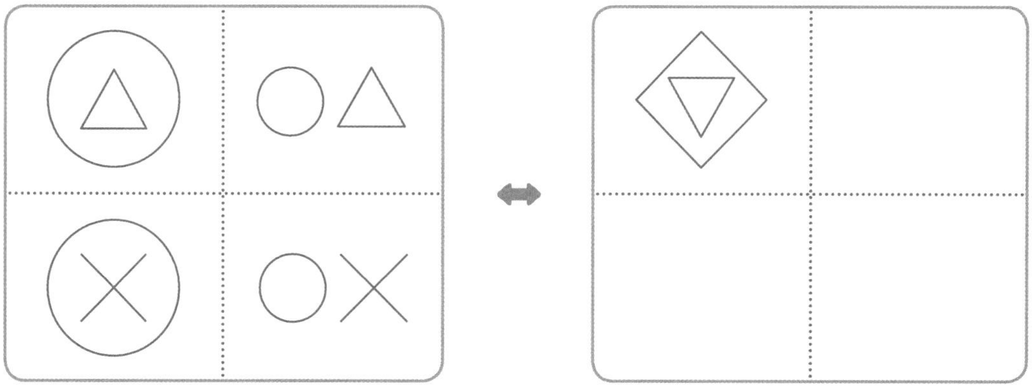

㉠ ㉡ ㉢

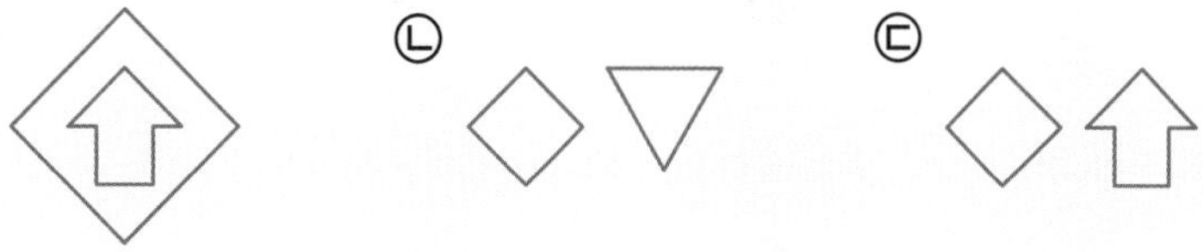

✿ 화살표 규칙에 따라 빈 곳에 알맞게 색칠해 보세요.

❻

규칙

➡ 색칠된 칸이 ↘ 방향으로 **1**칸 이동합니다.

➡ 색칠된 칸이 반전됩니다.

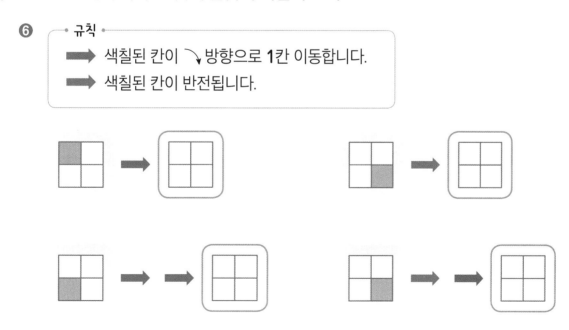

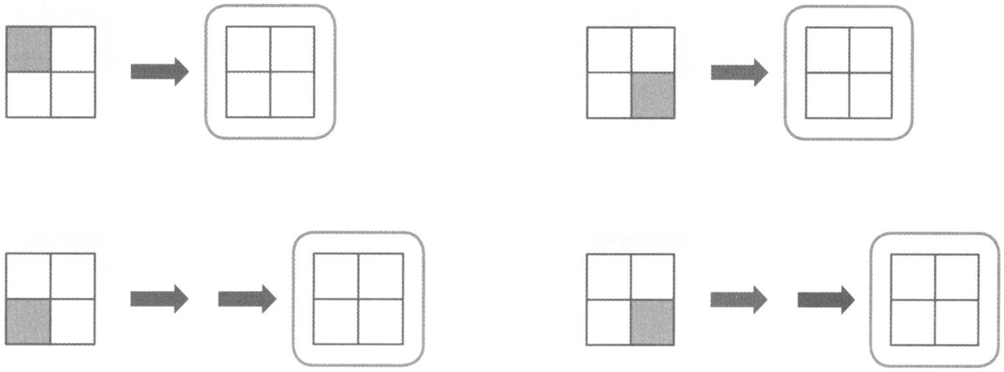

마무리 평가

✤ 다른 그림과 어울리지 않는 것 1개를 골라 ×표 하세요.

❶

❷

✤ 우즐카드 6장을 일정한 기준에 따라 분류한 것입니다. 빈 곳에 분류한 기준을 써넣으세요.

❸

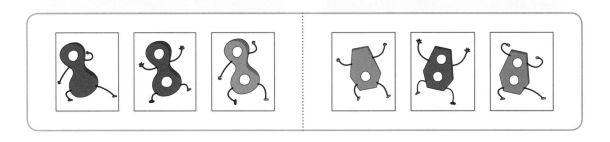

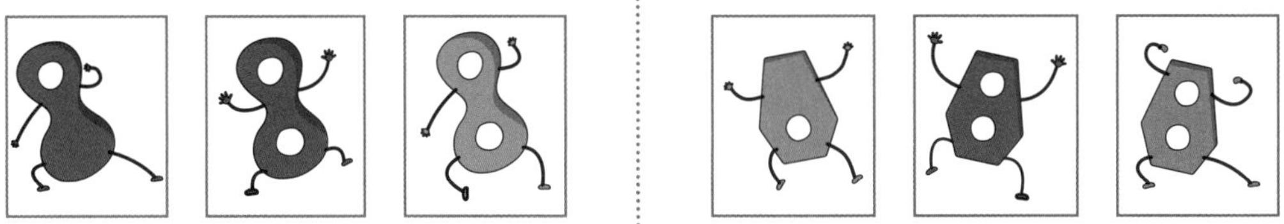

관계가 같은 것끼리 선으로 이어 보세요.

❹
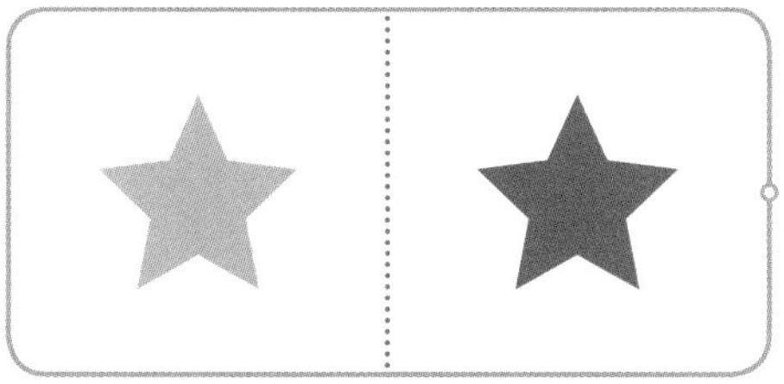
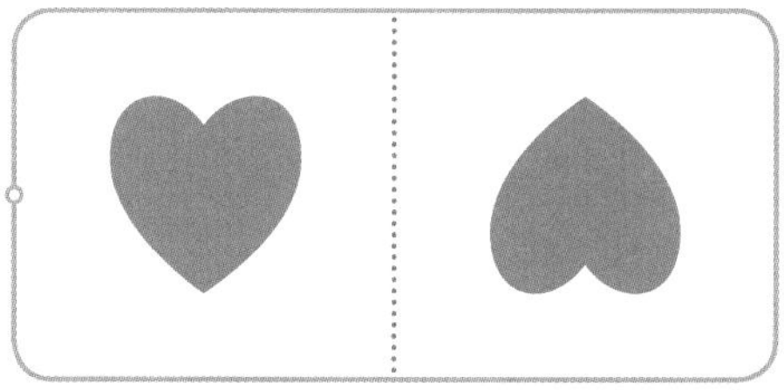

❺
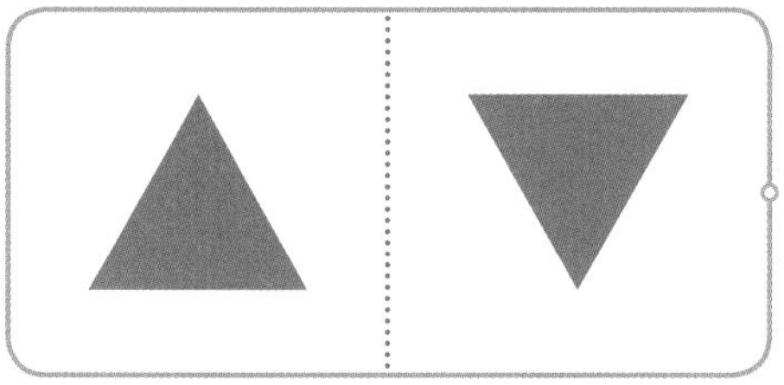
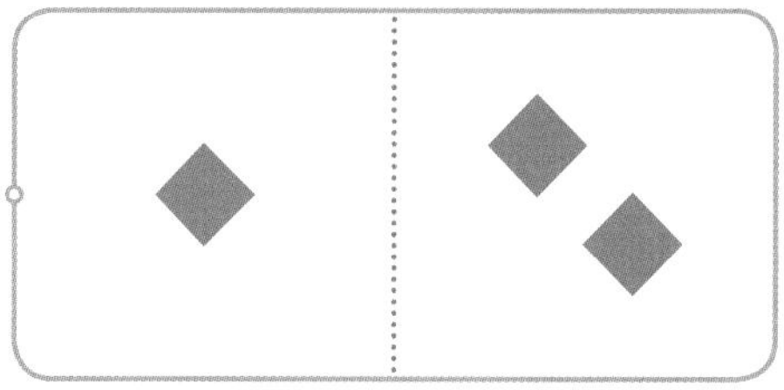

❻
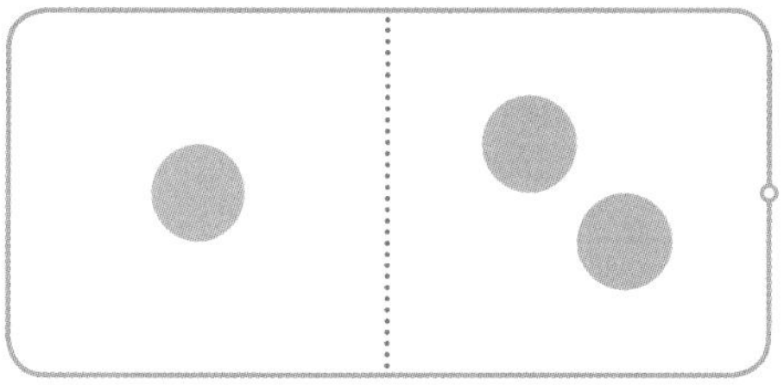
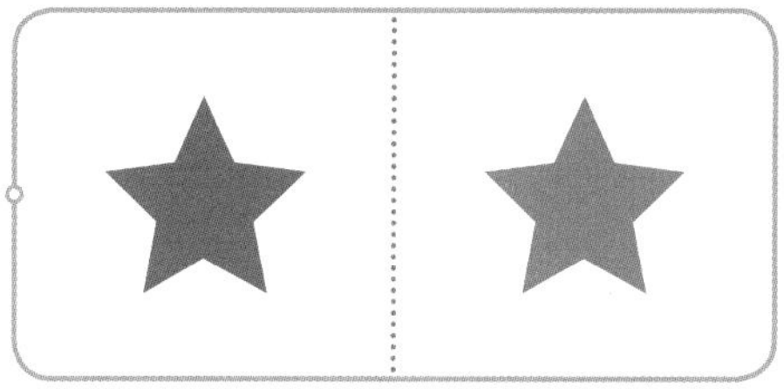

규칙을 찾아 빈 곳에 알맞게 색칠해 보세요.

❼
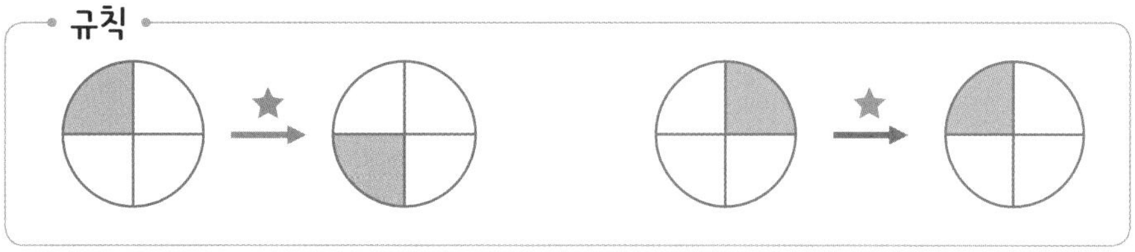

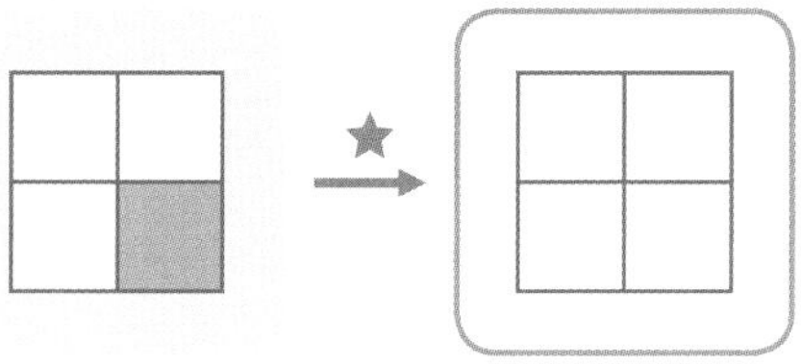
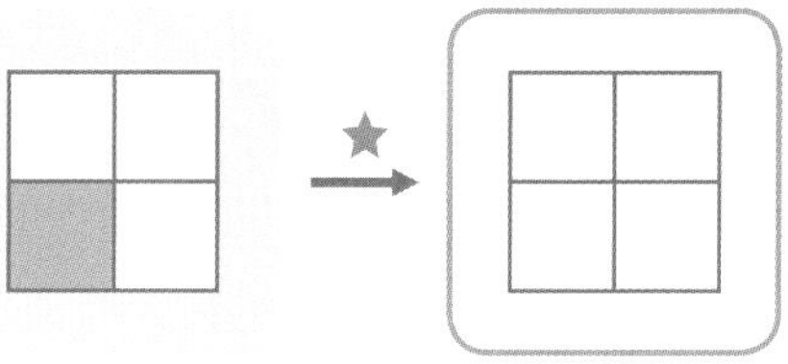

TEST 4 마무리 평가

✤ 다음 그림들은 공통점이 있습니다. 빈칸에 알맞은 그림에 ◯표 하세요.

❶

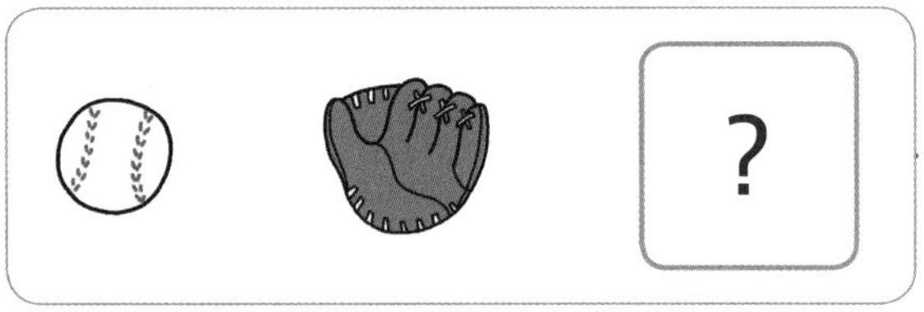

✤ 공통점을 찾아 선으로 이어 보세요.

❷

구멍이 1개입니다.

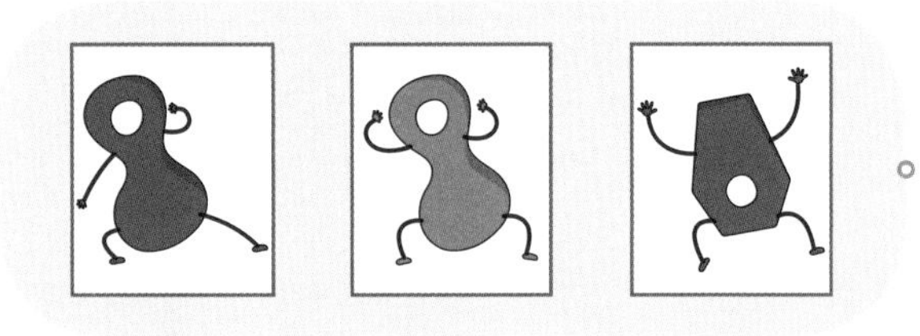

빨간색입니다.

곧은 선으로 된 모양입니다.

✿ 왼쪽과 같은 관계가 되도록 빈 곳에 알맞은 단어를 쓰세요.

❸

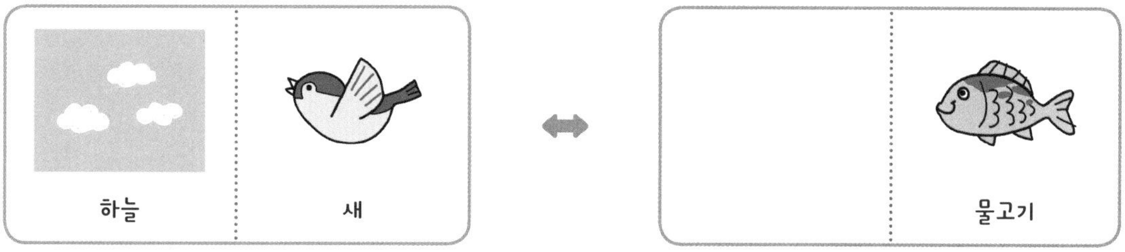

❹

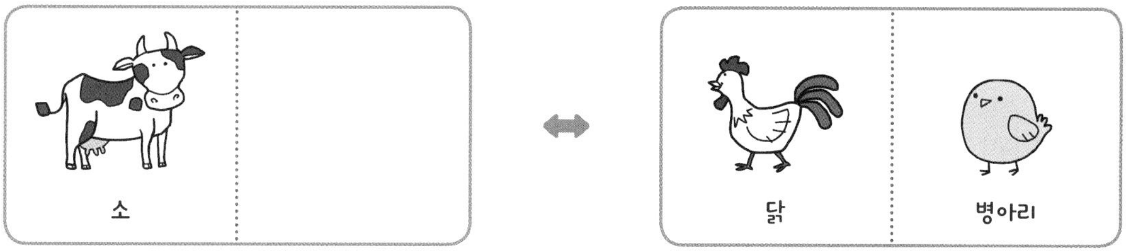

✿ 모양이 합쳐지는 규칙을 찾아 알맞게 색칠해 보세요.

❺

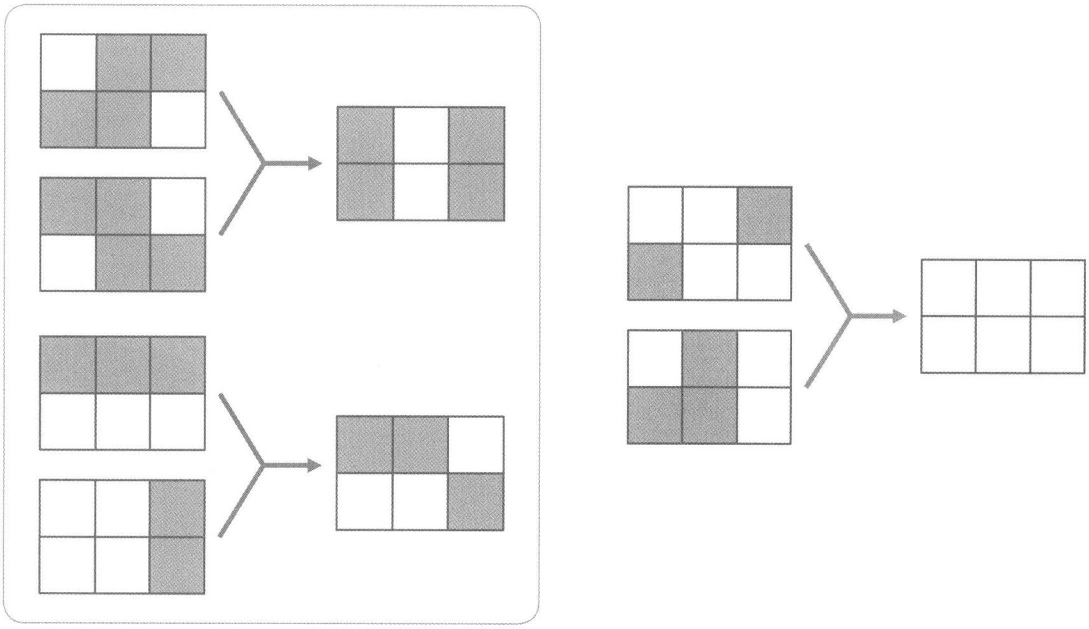

TEST 5

마무리 평가

✤ 주어진 단추의 공통점을 써 보세요.

❶

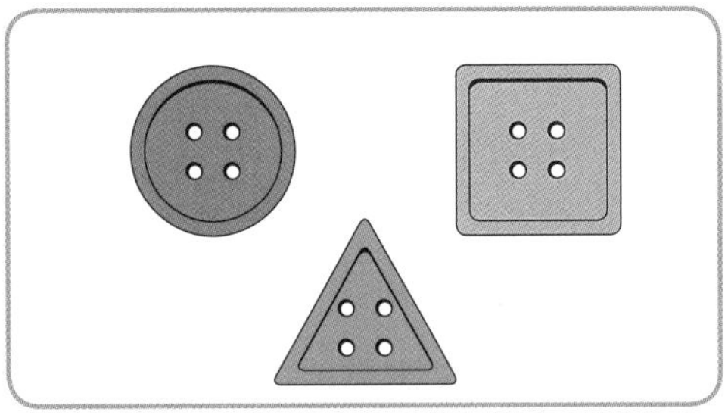

____

❷

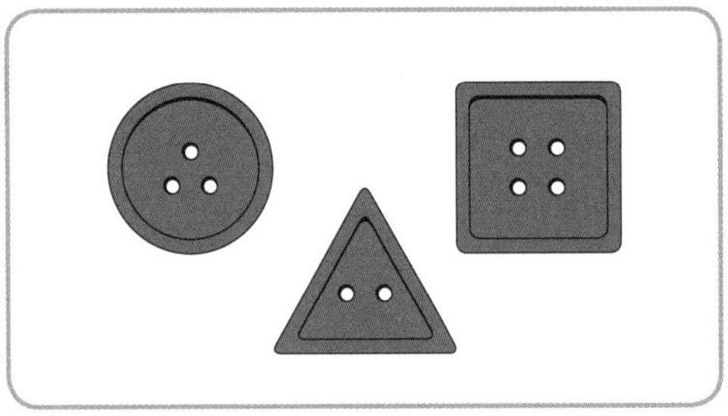

____

✤ 기준에 따라 분류한 것입니다. 빈 곳에 분류한 기준을 써넣으세요.

❸

✤ 관계를 찾아 빈 곳에 알맞은 모양을 그리거나 색칠해 보세요.

❹

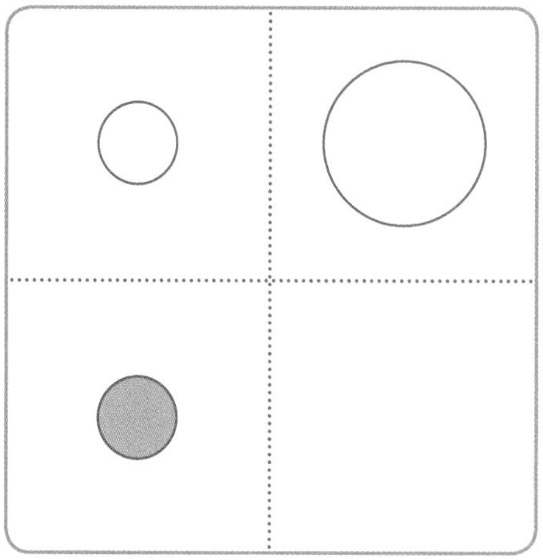

❺

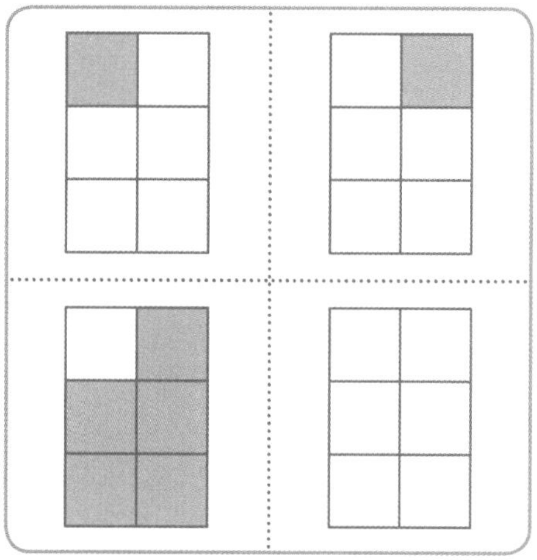

✤ 화살표 규칙을 찾아 빈 곳에 알맞은 수를 써넣으세요.

❻

규칙

3 —■→ 8　　4 —■→ 9

4 —▲→ 1　　7 —▲→ 4

1 —■→ —▲→ □

8 —▲→ —▲→ —■→ □

❼

규칙

2 —★→ 3　　5 —★→ 6

6 —☆→ 2　　8 —☆→ 4

7 —☆→ —★→ □

4 —★→ —☆→ —★→ □

pensées

사고가 자라는 수학

씨투엠

'사고력수학의 시작'

팡세

pensées

P3

정답과 풀이

사고가 자라는 수학

씨투엠

‘사고력수학의 시작’

팡세

pensées

P3

정답과 풀이

1 주차 공통점과 차이점

DAY 1 무엇일까요

pensées

설명하는 것을 찾아 ○표 하세요.

1. 동물입니다.
2. 다리가 4개입니다.
3. 회색입니다.

동물이므로 돌은 제외됩니다.
남은 것 중 다리가 4개이고,
회색인 것은 코끼리입니다.

❶

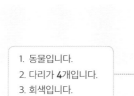

1. 과일입니다.
2. 빨간색입니다.
3. '사'로 시작합니다.

❷

1. 먹을 수 있습니다.
2. 차갑게 먹습니다.

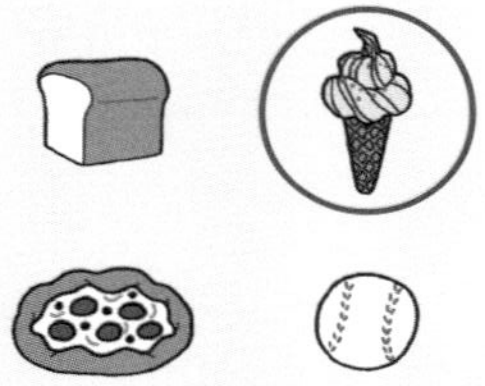

❸

1. 타는 것입니다.
2. 하늘에 있습니다.
3. 세 글자입니다.

❹

1. 필통에 넣습니다.
2. 글씨를 쓸 수 있습니다.
3. 지우개로 지울 수 있습니다.

DAY 2 공통점 찾기

공통점을 찾아 선으로 이어 보세요.

❶ 

❷ 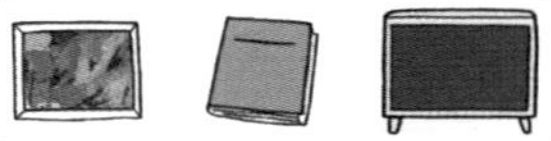

❸ 

❹ 

❺ 

- 물에서 삽니다.
- 부엌에 있는 물건입니다.
- 하늘을 날 수 있습니다.
- 타고 다닐 수 있습니다.
- □ 모양입니다.

❻ 

❼ 

❽ 

❾ 

❿ 

- 화장실에 있는 물건입니다.
- ○ 모양입니다.
- 다리가 4개인 동물입니다.
- 초록색입니다.
- 과일입니다.

DAY 3 나머지와 다른 것

✏ 다른 그림과 어울리지 않는 것 1개를 골라 ×표 하세요.

빵, 초콜릿, 바나나는 먹을 수 있지만 칫솔은 먹을 수 없습니다.

❶

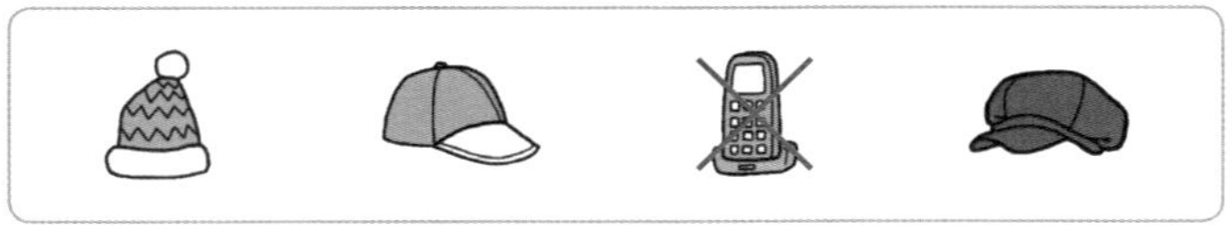

전화기를 제외하면 모두 모자입니다.

❷

개구리, 호랑이, 새는 동물이지만 신발은 동물이 아닙니다.

❸

제비는 물속에 살지 않지만 나머지는 물속에 삽니다.

❹

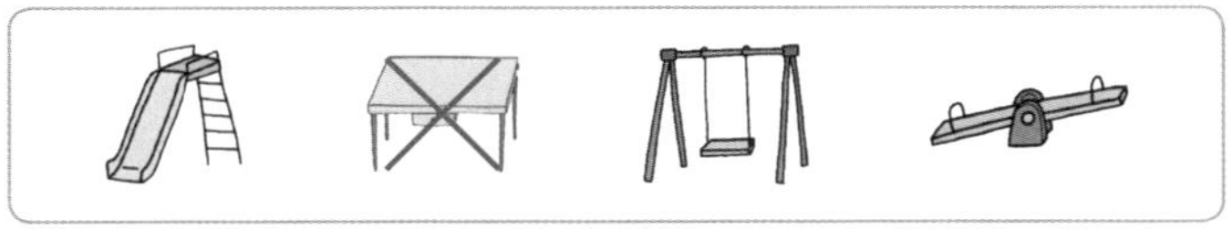

책상은 교실에서 볼 수 있지만 나머지는 놀이터에서 볼 수 있습니다.

❺

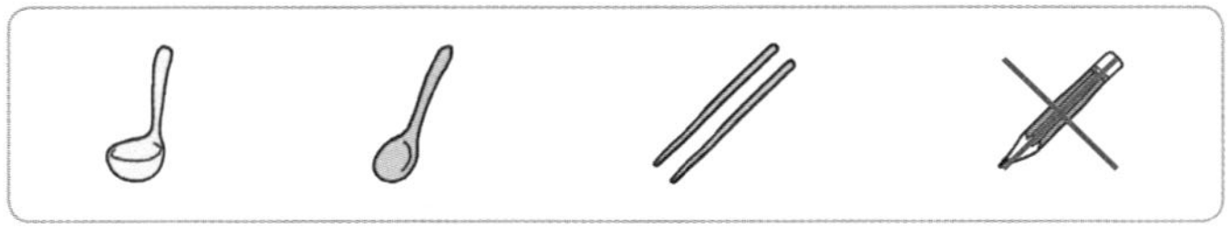

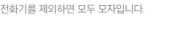

연필은 방에서 볼 수 있지만 나머지는 부엌에서 볼 수 있습니다.

❻

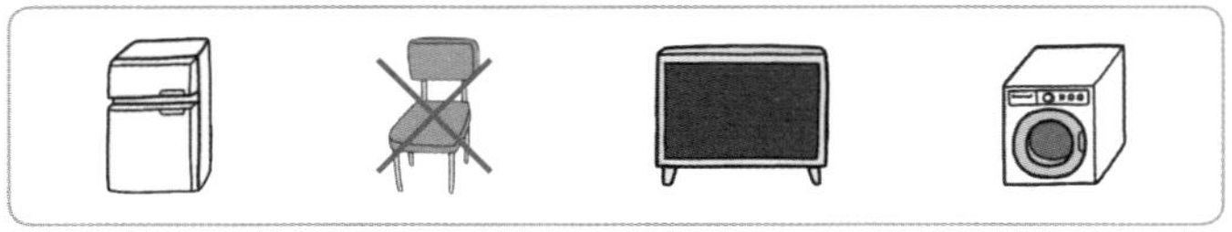

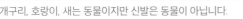

의자는 전기가 필요없지만 나머지는 전기가 필요합니다.

DAY 4 알맞은 그림 찾기

✎ 그림들의 공통점을 찾아 빈칸에 가장 알맞은 그림에 ○표 하세요.

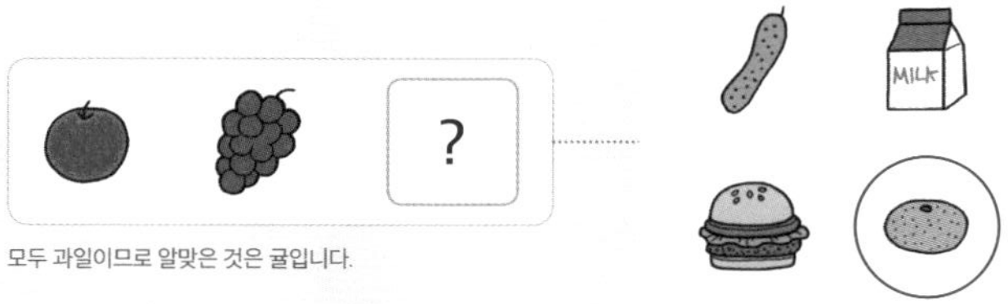

모두 과일이므로 알맞은 것은 귤입니다.

❶

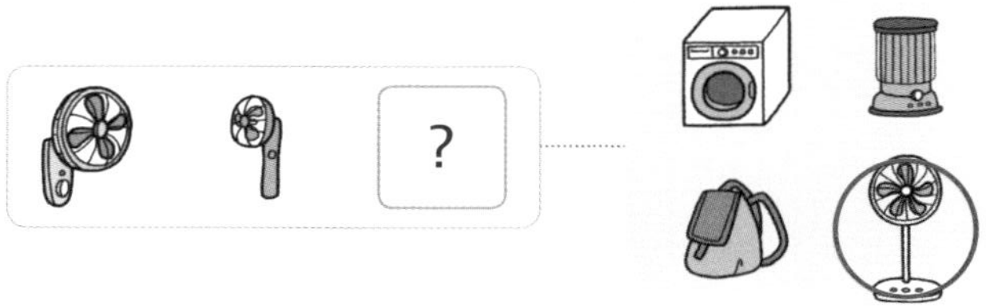

모두 선풍기이므로 빈칸에 알맞은 것은 선풍기입니다.

❷

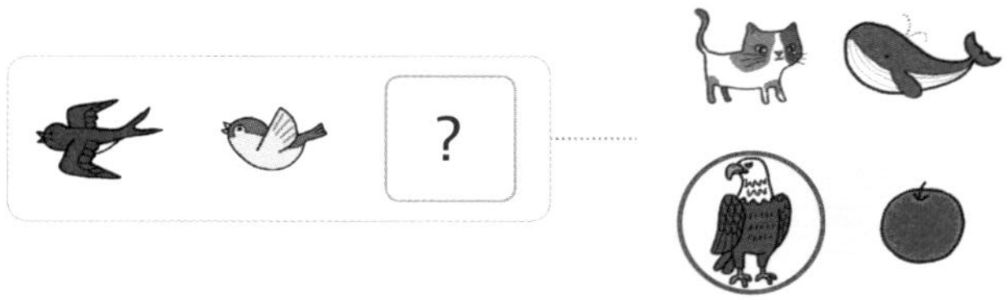

모두 새이므로 빈칸에 알맞은 것은 새입니다.

❸

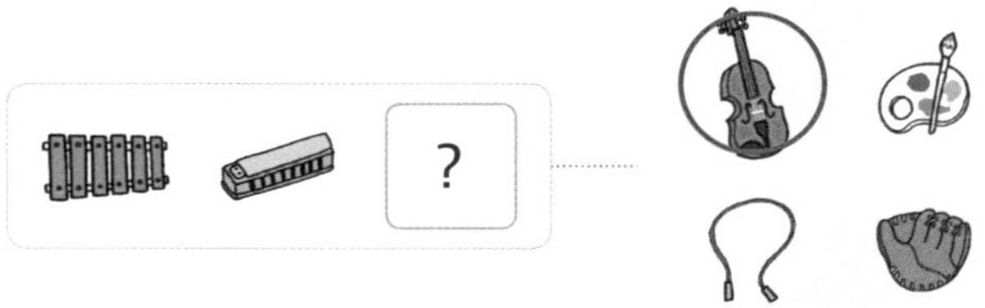

모두 악기이므로 빈칸에 알맞은 것은 악기입니다.

❹

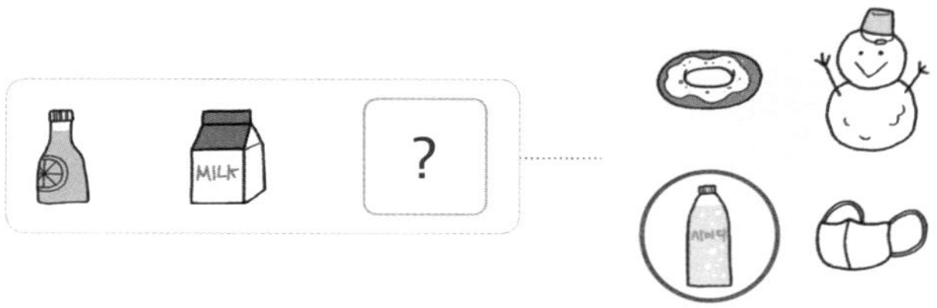

모두 마실 것이므로 빈칸에 알맞은 것은 마실 것입니다.

DAY 5 단추의 공통점

단추의 공통점을 찾아 써 보세요.

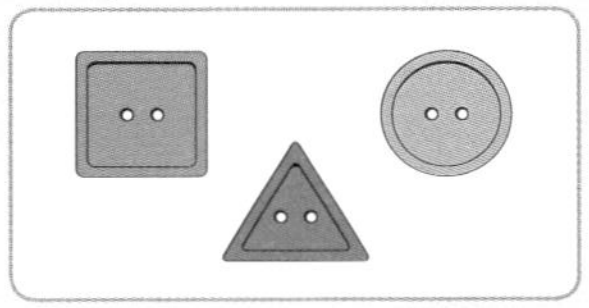

구멍이 2개입니다.

단추의 모양, 색깔,
구멍의 개수에서
공통점을 찾아봐.

❶ 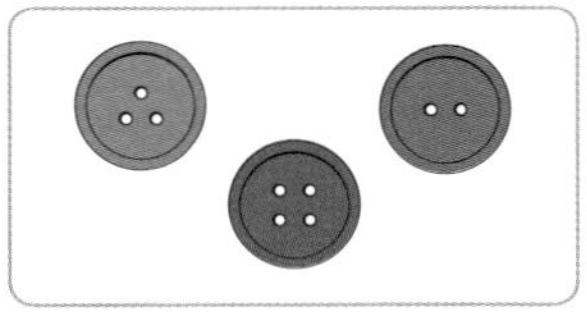

○ 모양입니다.

❷ 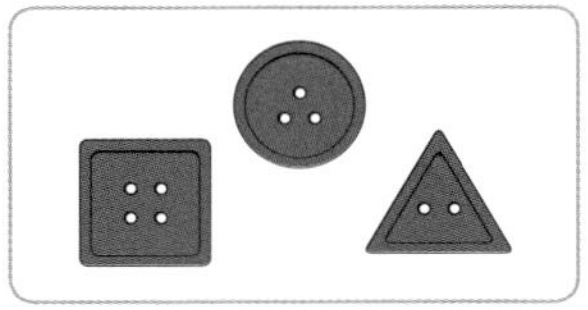

빨간색입니다.

❸ 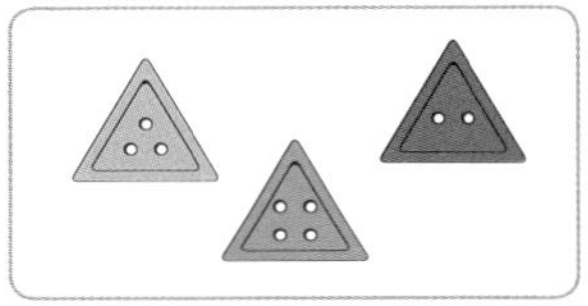

△ 모양입니다.

❹ 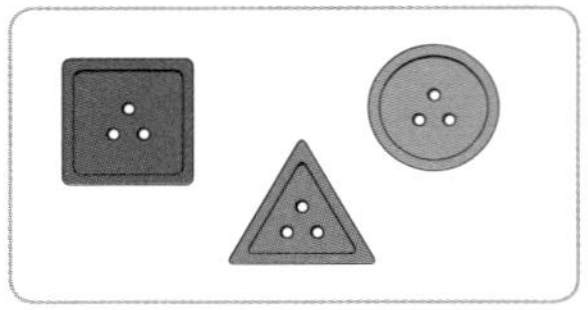

구멍이 3개입니다.

❺ 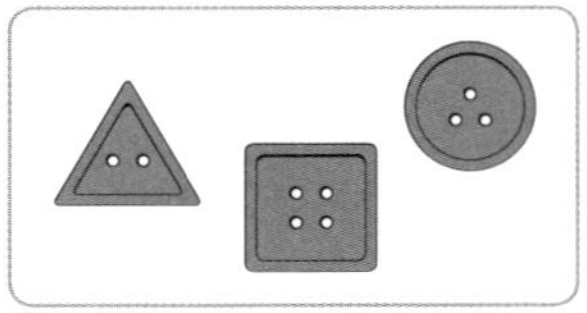

초록색입니다.

확인학습

그림들의 공통점을 찾아 빈칸에 가장 알맞은 그림에 ○표 하세요.

❶

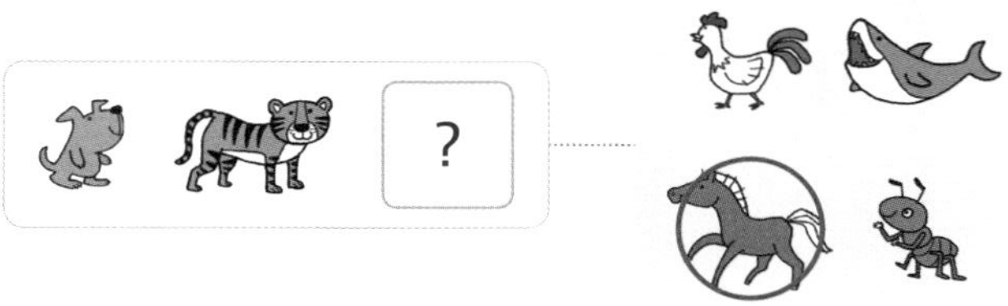

모두 다리가 4개 있는 동물이므로 빈칸에도 다리가 4개인 동물이 와야 합니다.

단추의 공통점을 찾아 써 보세요.

❷

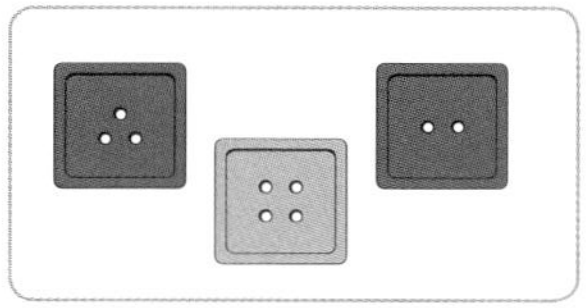

□ 모양입니다.

❸

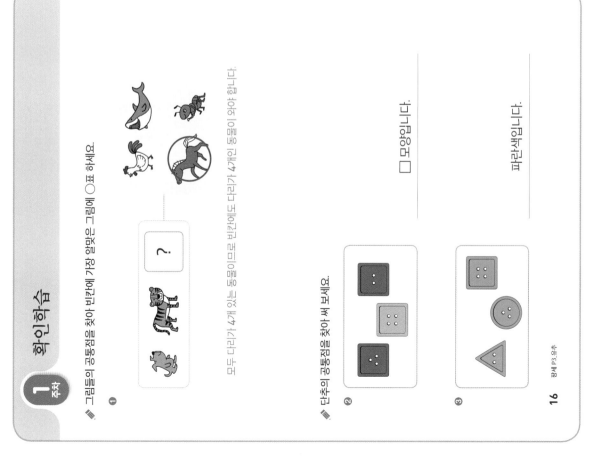

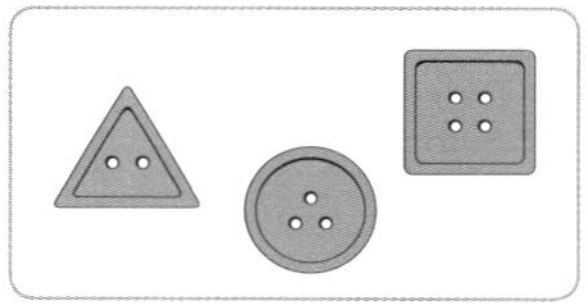

파란색입니다.

2주차 우즐카드

DAY 1 분류 기준 (1)

기준에 따라 분류한 것입니다. 빈 곳에 분류한 기준을 써넣으세요.

날 수 있습니다. 날 수 없습니다.

여러 가지 물건이나 동물 등을 같은 것과 다른 것으로 분류하기 위해 정하는 것을 기준이라고 해.

❶ 살아있습니다. 살아있는 것이 아닙니다.

❷ 전기를 사용합니다. 전기를 사용하지 않습니다.

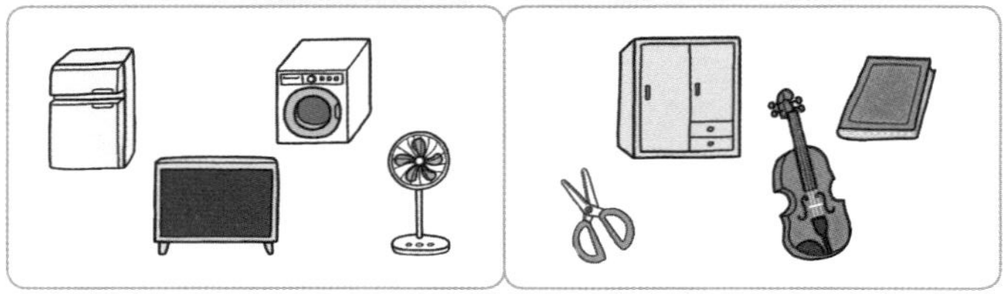

❸ 먹을 수 있습니다. 먹을 수 없습니다.

❹ 다리가 4개입니다. 다리가 4개가 아닙니다.

또는 새끼를 낳습니다. 알을 낳습니다.

DAY 2

공통점

공통점을 찾아 선으로 이어 보세요.

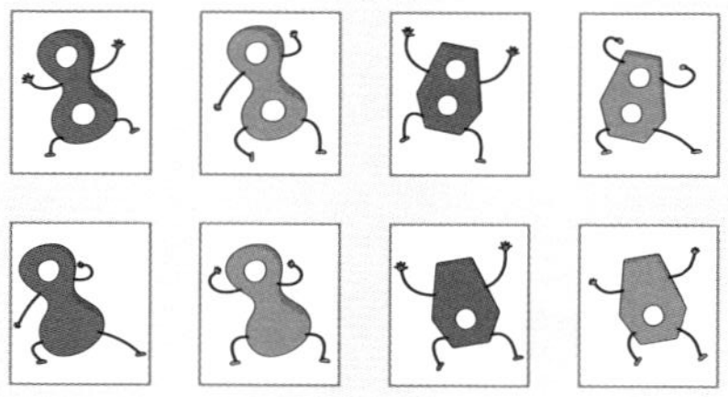

1. 모양에 따라 분류할 수 있습니다.
2. 색깔에 따라 분류할 수 있습니다.
3. 구멍의 개수에 따라 분류할 수 있습니다.

어떤 기준으로 분류할 수 있을지 생각해 봐.

❶

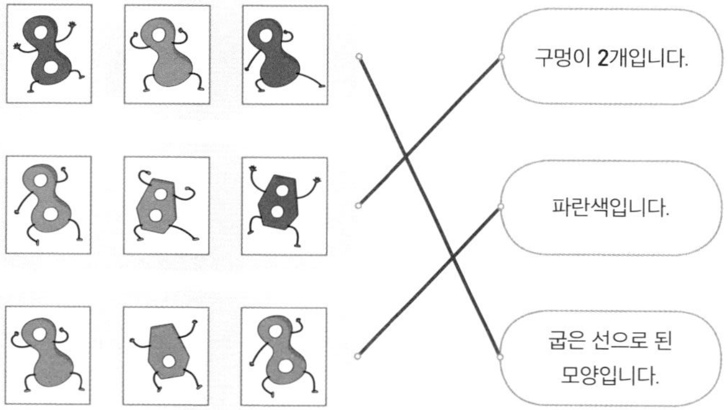
구멍이 2개입니다.
파란색입니다.
굽은 선으로 된 모양입니다.

❷

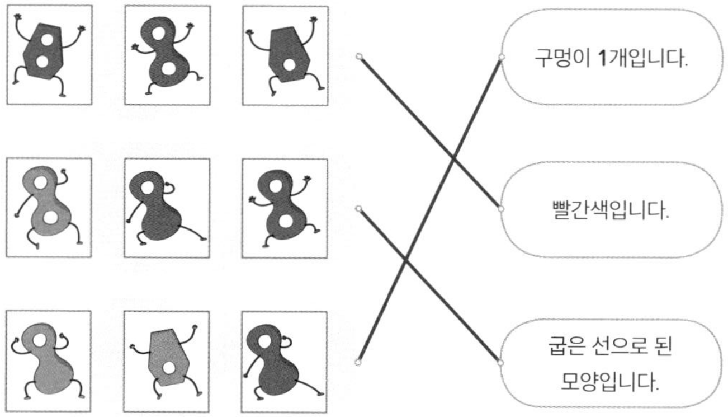
구멍이 1개입니다.
빨간색입니다.
굽은 선으로 된 모양입니다.

❸

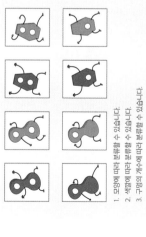

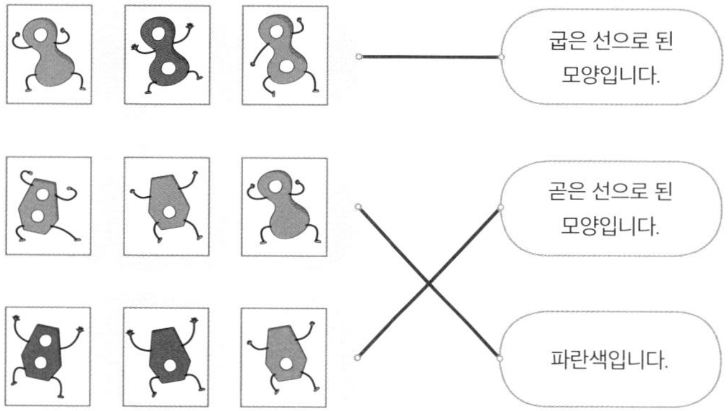
굽은 선으로 된 모양입니다.
곧은 선으로 된 모양입니다.
파란색입니다.

DAY 3 잘못 들어간 것

우즐카드를 공통점을 찾아 모은 것입니다. 잘못 들어간 것에 ×표 하세요.

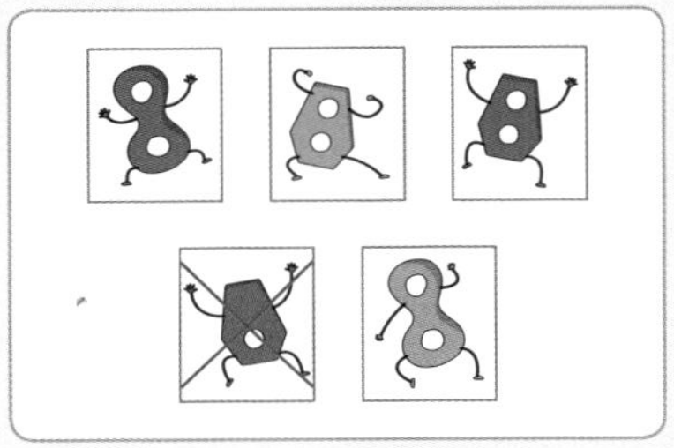

구멍이 2개인 모양을 모은 것입니다.

카드 1장이
잘못 들어갔어.

❶

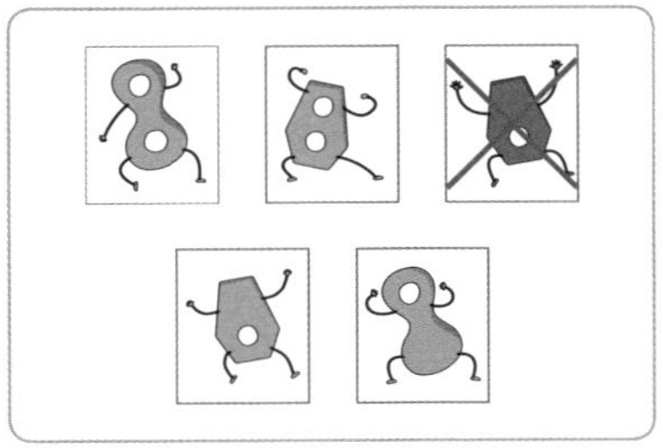

파란색 모양을 모은 것입니다.

❷

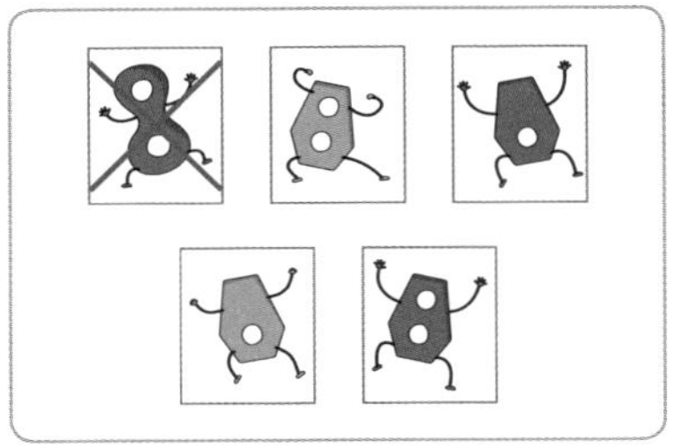

곧은 선으로 된 모양을 모은 것입니다.

❸

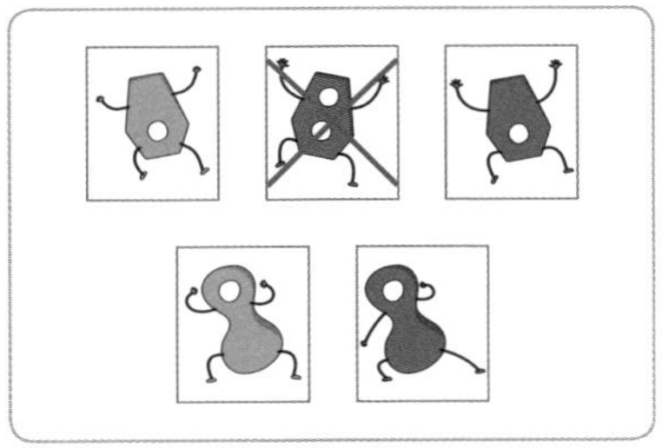

구멍이 1개인 모양을 모은 것입니다.

❹

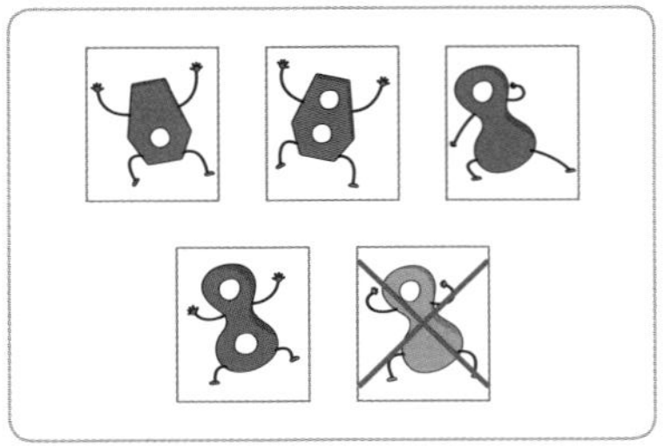

빨간색 모양을 모은 것입니다.

분류 기준 (2)

우즐카드 6장을 일정한 기준에 따라 분류한 것입니다. 빈 곳에 분류한 기준을 써넣으세요.

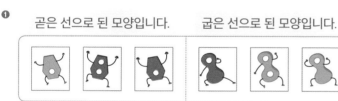

구멍이 2개입니다. | 구멍이 1개입니다.

구멍의 개수가 2개인 것과 1개인 것으로 분류한 것입니다.

분류된 모둠에서
공통점을 찾아봐.

❶

곧은 선으로 된 모양입니다. | 굽은 선으로 된 모양입니다.

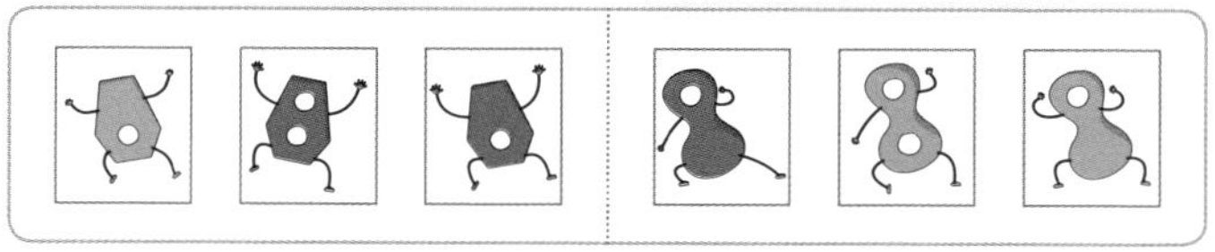

❷

파란색입니다. | 빨간색입니다.

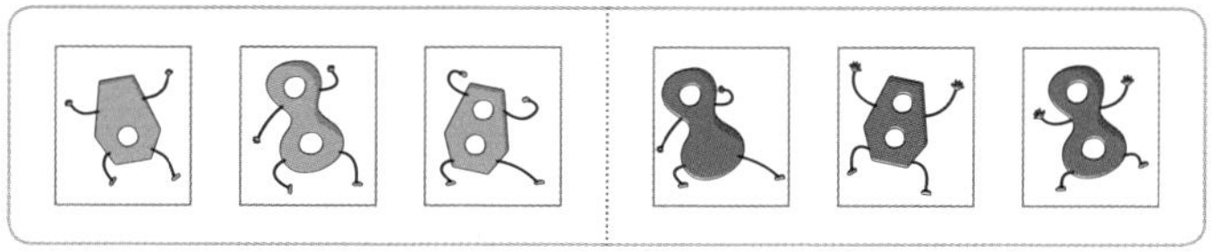

❸

굽은 선으로 된 모양입니다. | 곧은 선으로 된 모양입니다.

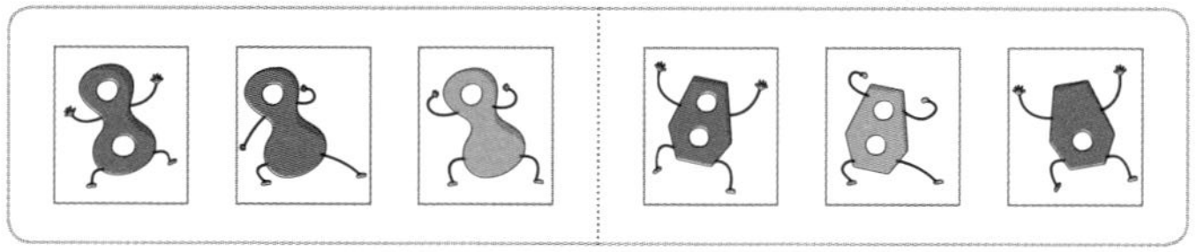

❹

구멍이 1개입니다. | 구멍이 2개입니다.

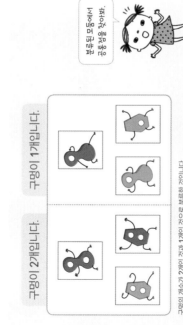

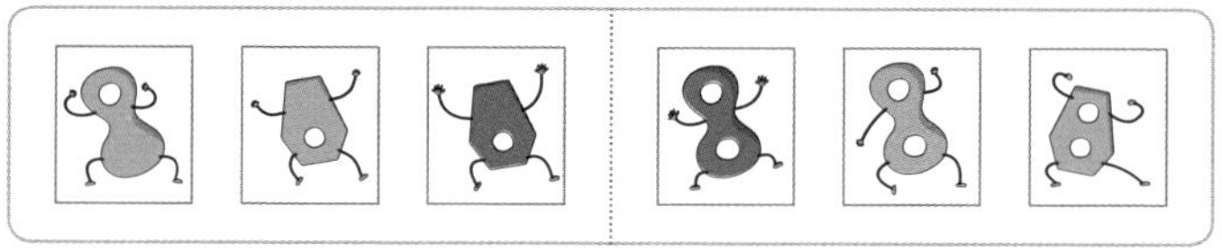

DAY 5 도형 우즐카드

✎ 분류 기준에 따라 나눈 것입니다. 빈 곳에 알맞은 것의 기호를 쓰세요.

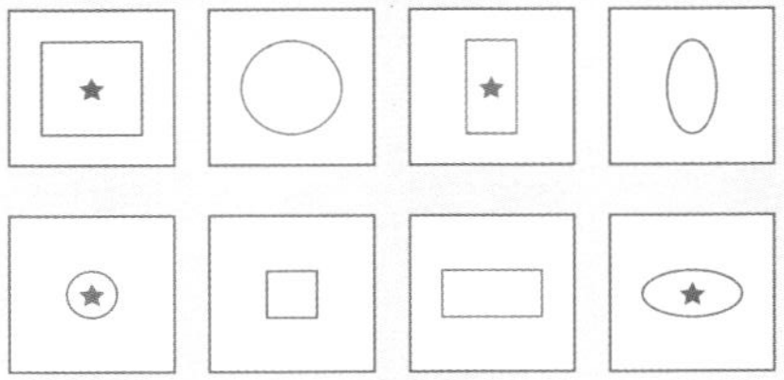

❶

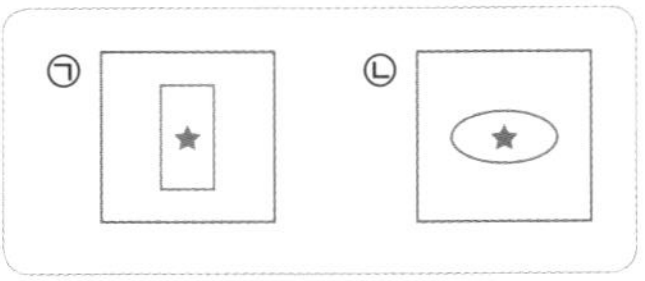

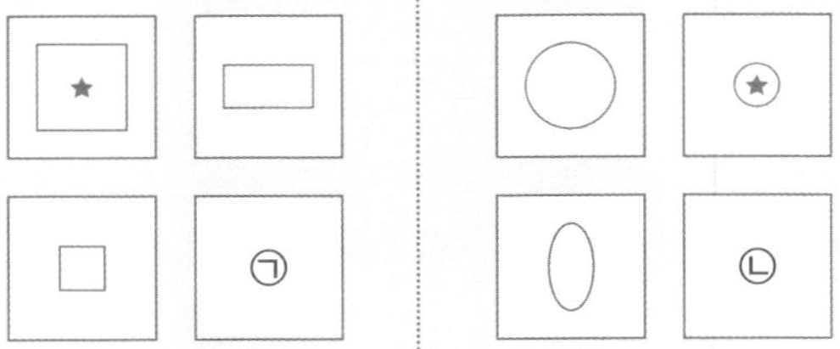

선의 모양에 따라 분류한 것입니다.

❷

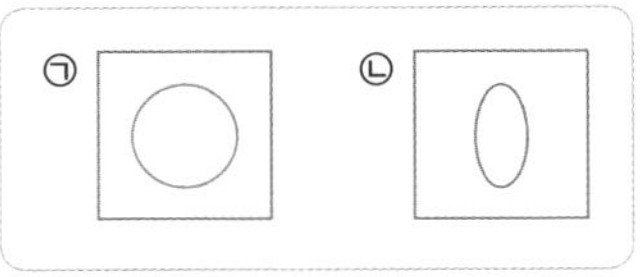

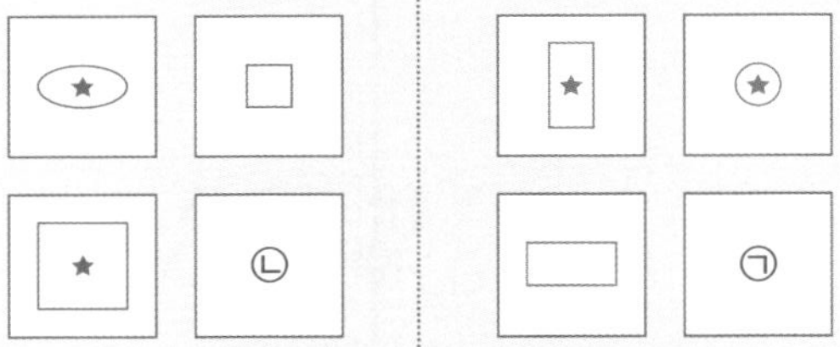

색깔에 따라 분류한 것입니다.

❸

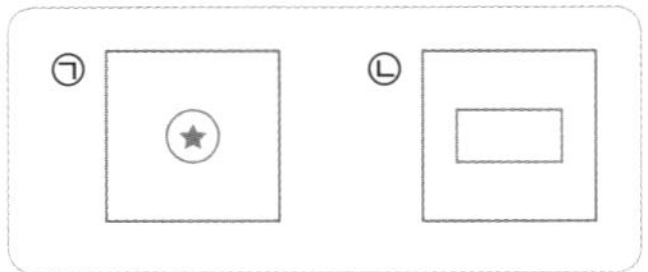

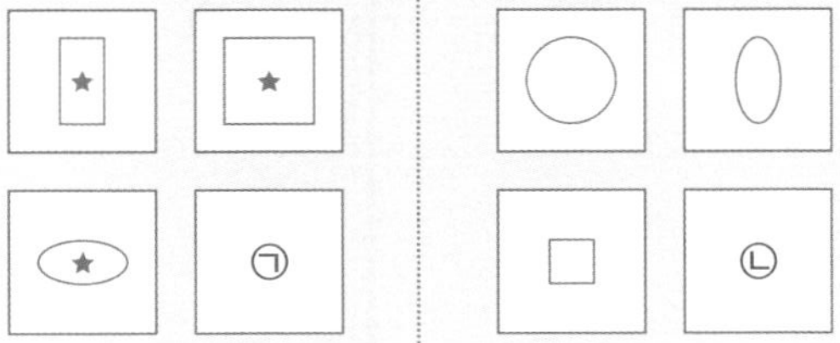

★ 무늬에 따라 분류한 것입니다.

확인학습

우즐카드를 공통점을 찾아 모은 것입니다. 잘못 들어간 것에 ×표 하세요.

❶

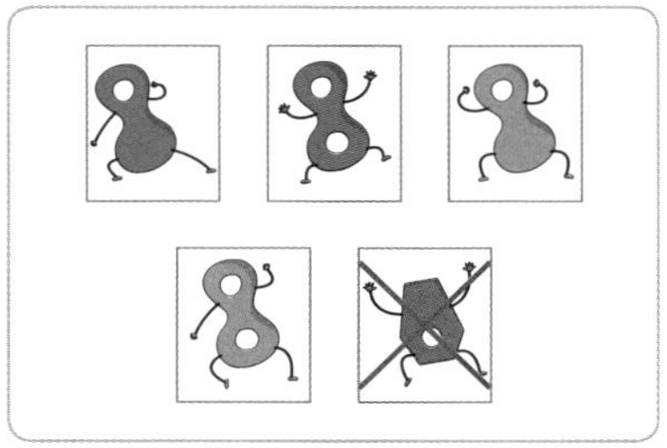

굽은 선으로 된 모양을 모은 것입니다.

❷

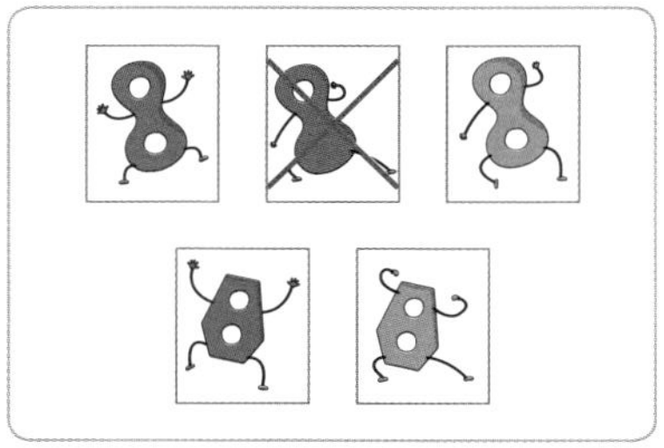

구멍이 2개인 모양을 모은 것입니다.

우즐카드 6장을 일정한 기준에 따라 분류한 것입니다. 빈 곳에 분류한 기준을 써넣으세요.

❸

빨간색입니다. 파란색입니다.

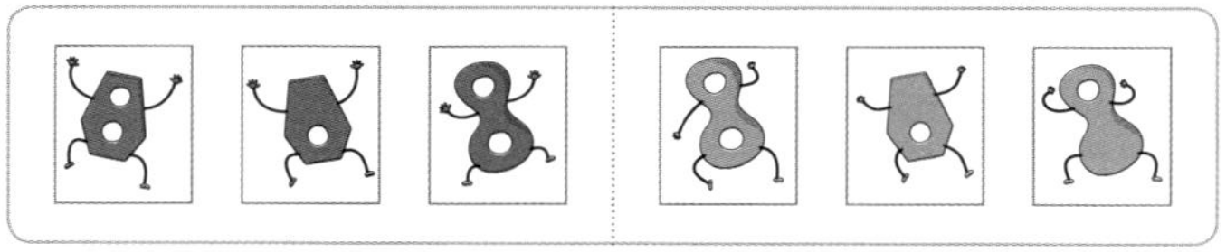

3주차 관계 추리

DAY 1 관계 있는 물건

왼쪽의 관계를 보고 빈 곳에 알맞은 단어를 쓰세요.

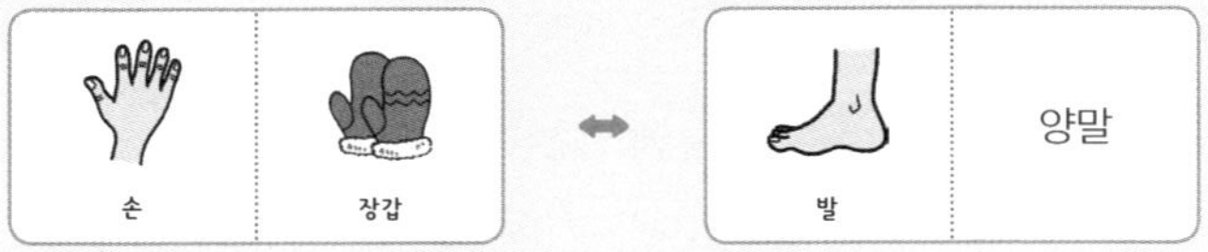

손에는 장갑을 끼고, 발에는 양말을 신습니다.

❶

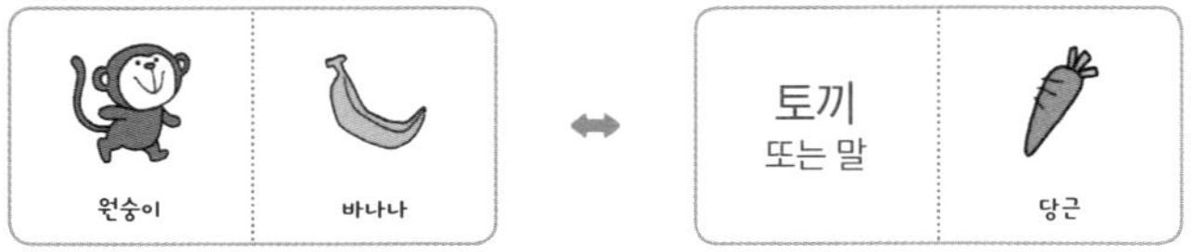

원숭이는 바나나를 좋아하고, 토끼 또는 말은 당근을 좋아합니다.

❷

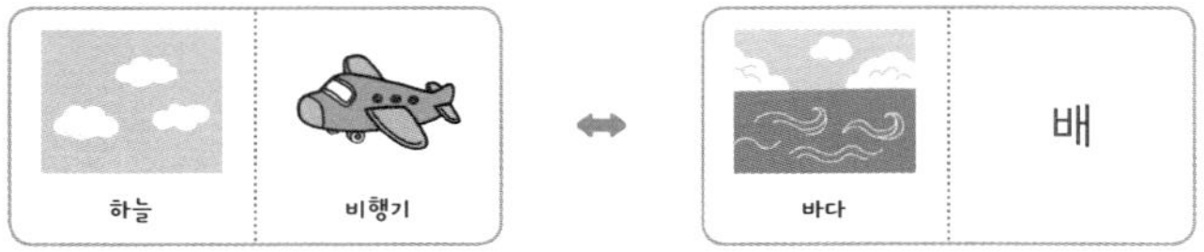

하늘에는 비행기가 있고, 바다에는 배가 있습니다.

❸

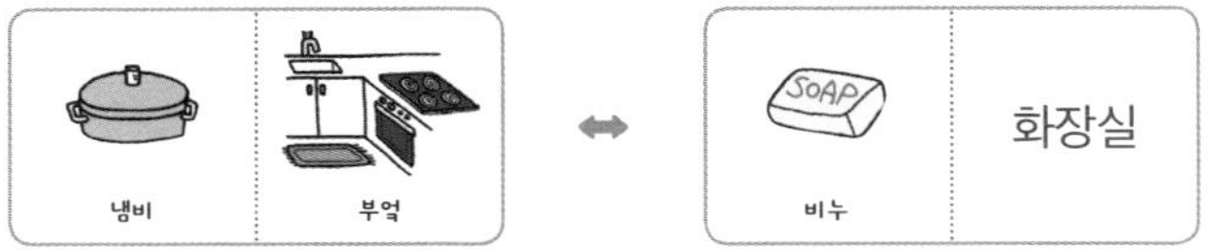

냄비는 부엌에 있고, 비누는 화장실에 있습니다.

❹

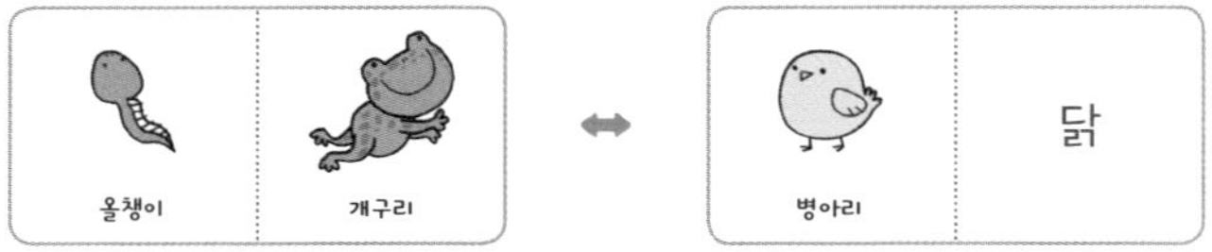

올챙이는 개구리가 되고, 병아리는 닭이 됩니다.

❺

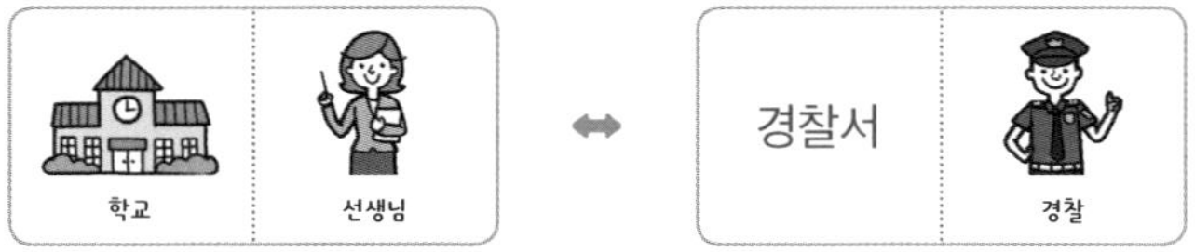

학교에 선생님이 있고, 경찰서에 경찰이 있습니다.

❻

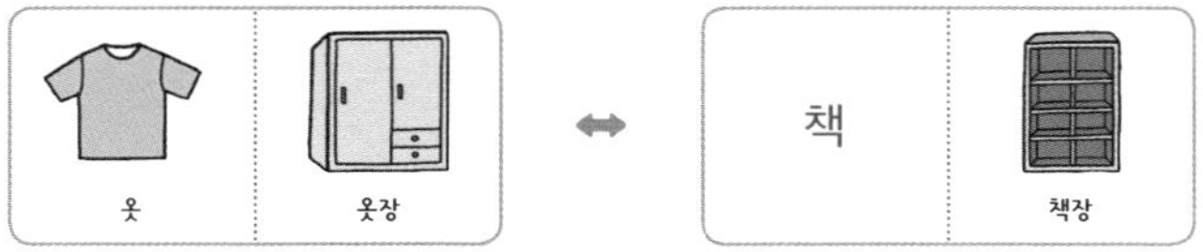

옷은 옷장에 있고, 책은 책장에 있습니다.

DAY 2 관계가 같은 것 (1)

✎ 관계가 같은 것끼리 선으로 이어 보세요.

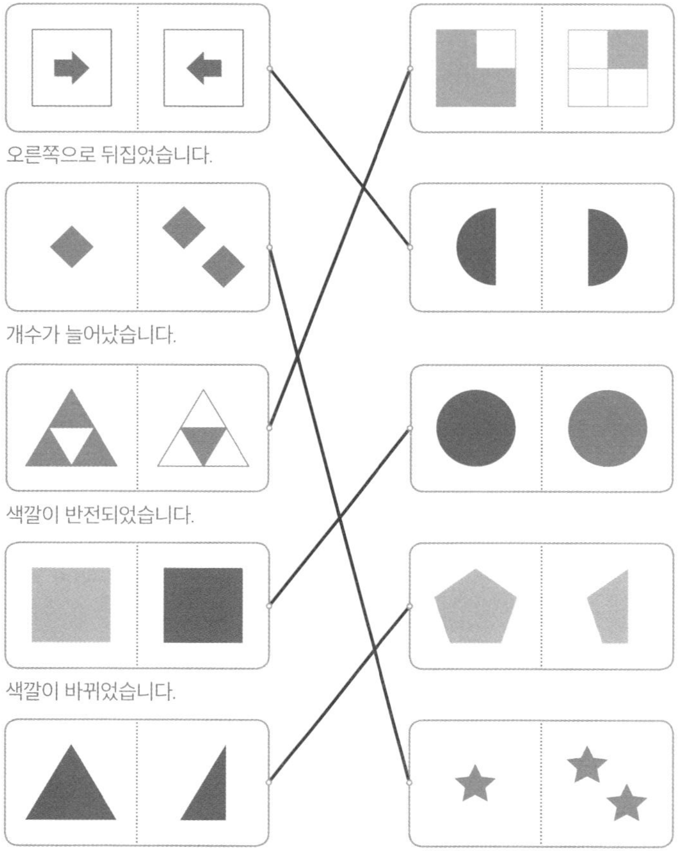

❶ 오른쪽으로 뒤집었습니다.

❷ 개수가 늘어났습니다.

❸ 색깔이 반전되었습니다.

❹ 색깔이 바뀌었습니다.

❺ 도형을 반으로 나눈 모양입니다.

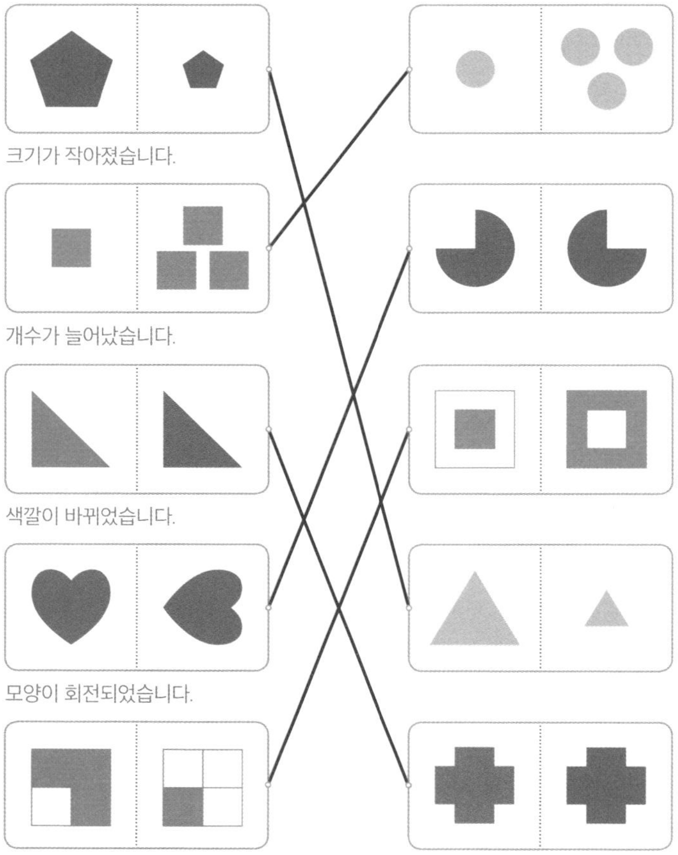

❻ 크기가 작아졌습니다.

❼ 개수가 늘어났습니다.

❽ 색깔이 바뀌었습니다.

❾ 모양이 회전되었습니다.

❿ 색깔이 반전되었습니다.

3주차 관계 추리

DAY 3 관계가 같은 것 (2)

✎ 주어진 카드와 관계가 같은 카드를 찾아 기호를 쓰세요.

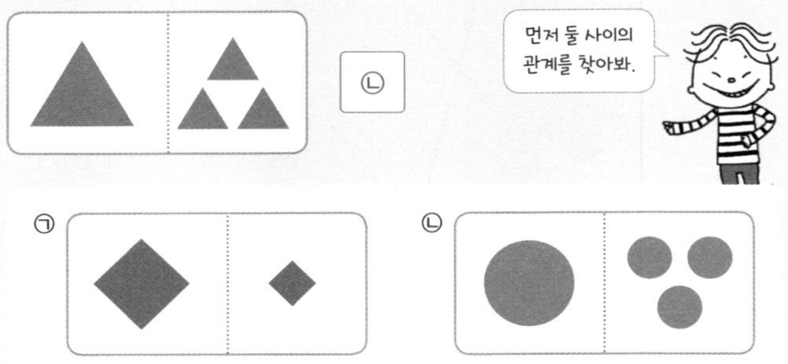

모양의 크기가 작아지면서 개수가 늘어났습니다.

❶

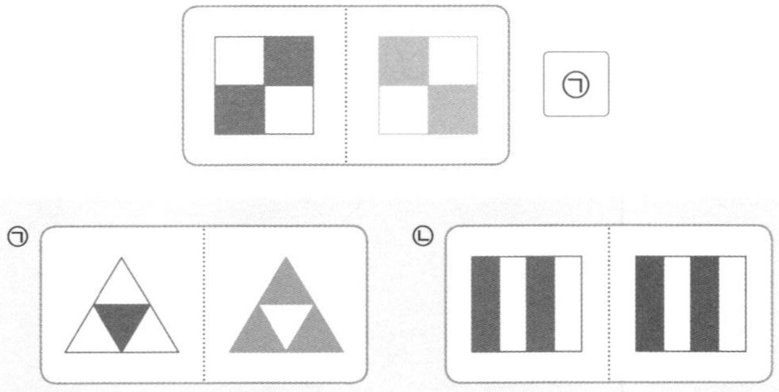

색깔이 반전되면서 색깔도 바뀌었습니다.

❷

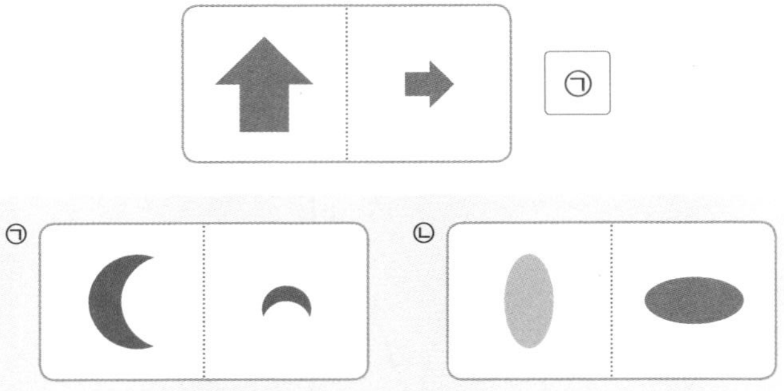

크기가 작아지면서 ↘ 방향으로 회전되었습니다.

❸

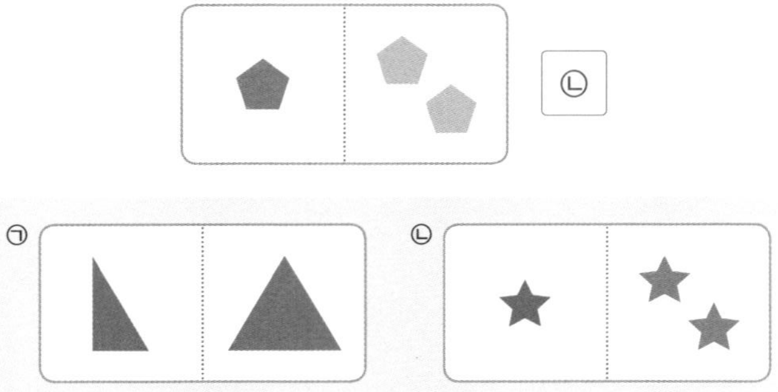

색깔이 바뀌면서 개수도 늘어났습니다.

관계 매트릭스 (1)

✐ 왼쪽과 같은 관계가 되도록 오른쪽 빈 곳에 알맞은 기호를 쓰세요.

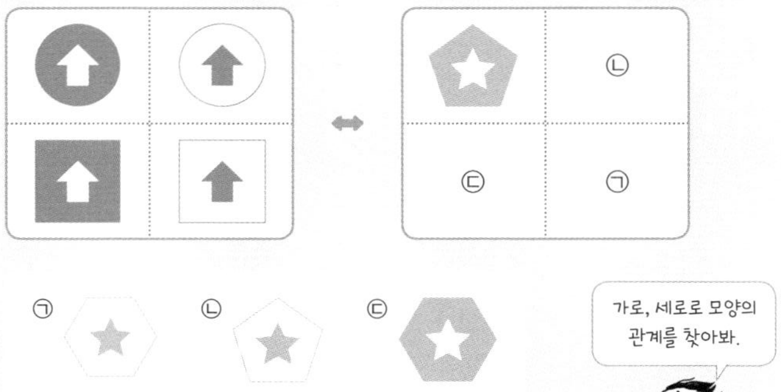

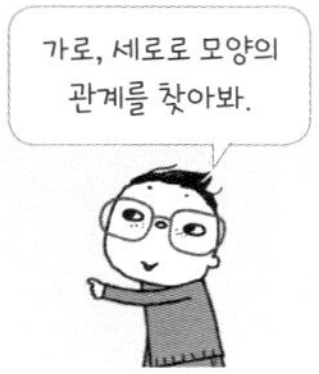

왼쪽 매트릭스에서 가로는 색이 반전되고, 세로는 바깥쪽 모양이 바뀌었습니다.
이 관계에 맞게 오른쪽 매트릭스에 똑같이 만들어 봅니다.

❶

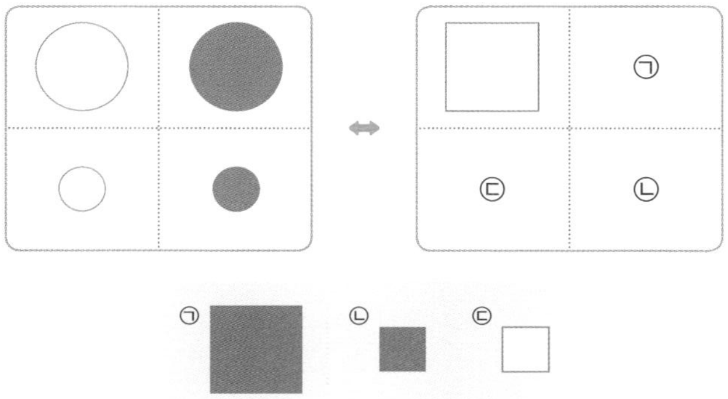

가로는 색칠했고, 세로는 크기가 작아졌습니다.

❷

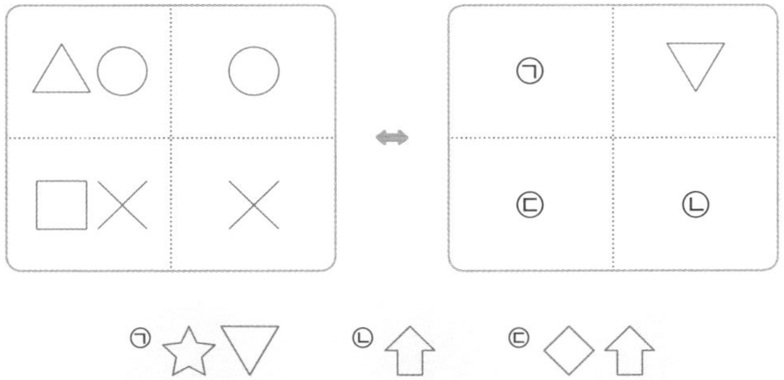

가로는 두 모양 중 오른쪽 모양만 있고, 세로는 개수는 같지만 모양이 달라졌습니다.

❸

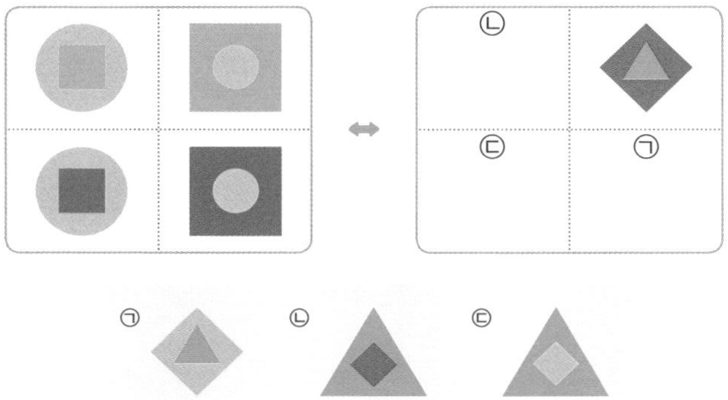

가로는 안쪽 모양과 바깥쪽 모양이 서로 바뀌었고, 세로는 안쪽 색깔과 바깥쪽 색깔이 각각 바뀌었습니다.

DAY 5 관계 매트릭스 (2)

관계를 찾아 빈 곳에 알맞은 모양을 그리거나 색칠해 보세요.

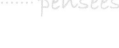

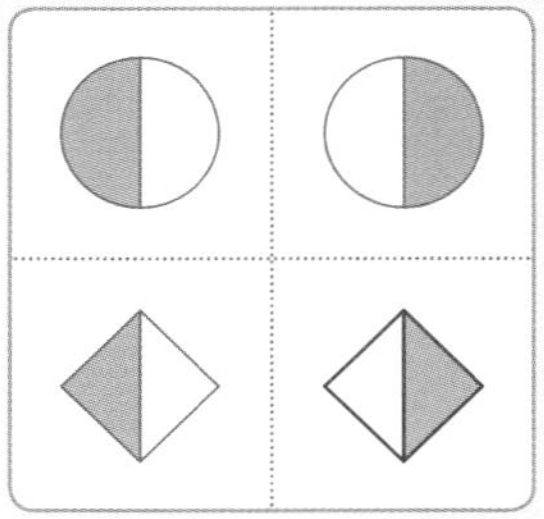

가로는 색칠한 곳이 바뀌었고, 세로는 모양이 바뀌었습니다.

가로, 세로로 모양의 관계를 찾아봐.

❶

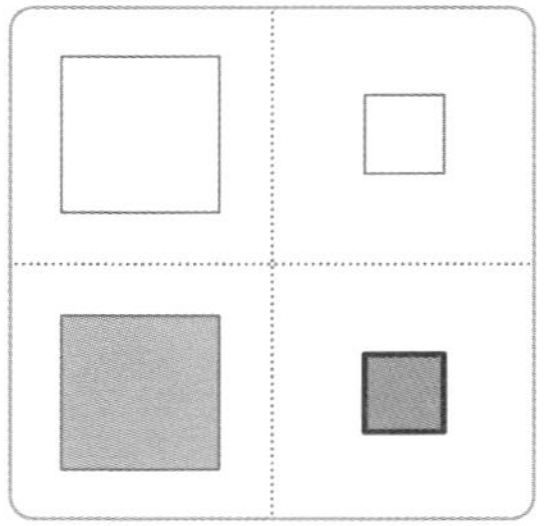

가로는 크기가 작아졌고, 세로는 색칠하였습니다.

❷

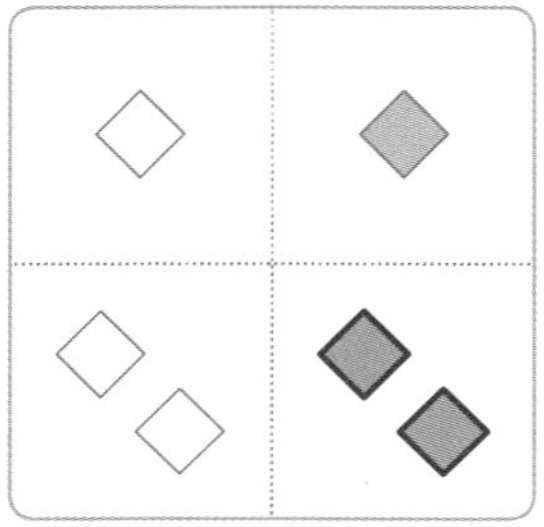

가로는 색칠하였고, 세로는 개수가 늘어났습니다.

❸

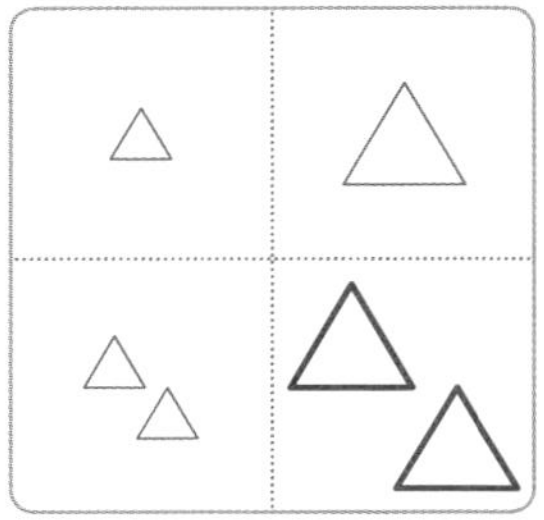

가로는 크기가 커졌고, 세로는 개수가 늘어났습니다.

❹

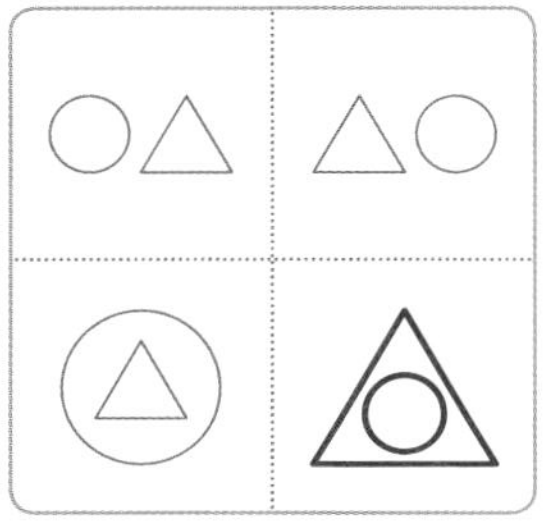

가로는 두 모양의 위치가 바뀌었고, 세로는 왼쪽 모양 안에 오른쪽 모양이 들어갑니다.

❺

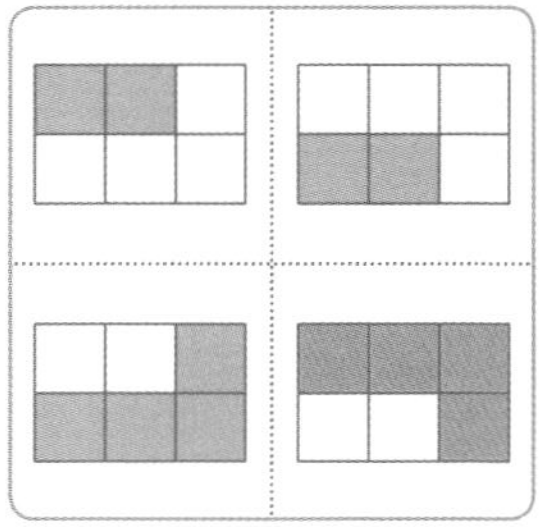

가로는 위아래로 뒤집은 모양이고, 세로는 색이 반전되었습니다.

❻

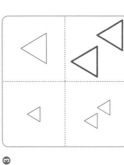

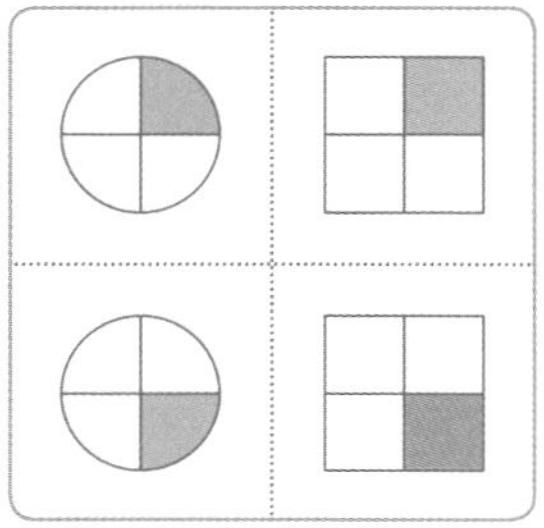

가로는 모양이 바뀌었고, 세로는 ↷ 만큼 회전한 모양입니다.

3 주차

확인학습

관계가 같은 것끼리 선으로 이어 보세요.

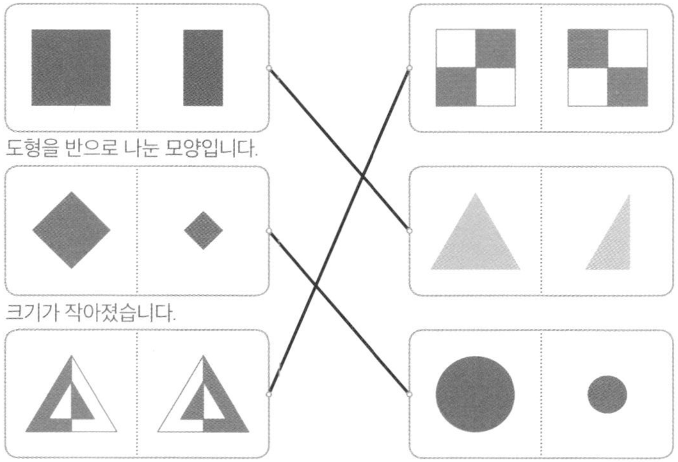

❶ 도형을 반으로 나눈 모양입니다.

❷ 크기가 작아졌습니다.

❸ 색이 반전되었습니다.

관계를 찾아 빈 곳에 알맞은 모양을 그리거나 색칠해 보세요.

❹

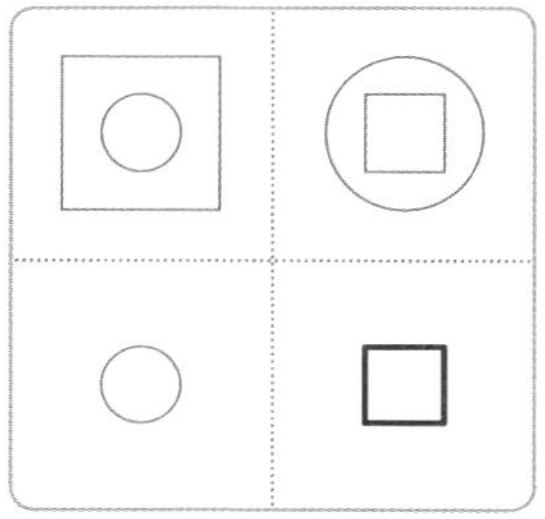

가로는 모양이 바뀌었고, 세로는 안쪽 모양만 남았습니다.

❺

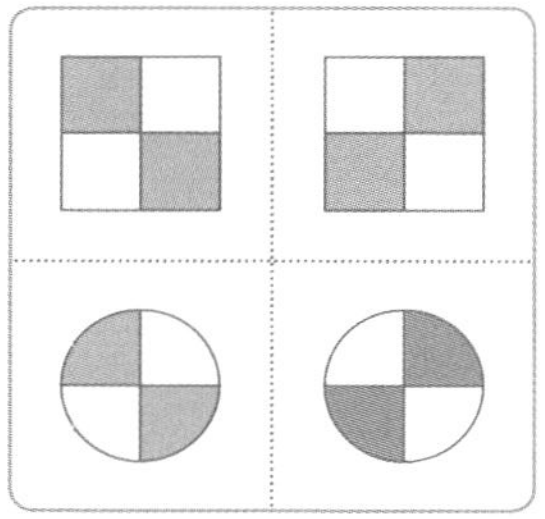

가로는 색이 반전되었고, 세로는 모양이 바뀌었습니다.

4주차 화살표 약속

DAY 1 화살표 규칙 (1)

✐ 화살표 규칙에 따라 빈 곳에 알맞은 수를 써넣으세요.

규칙
→ 1을 더합니다.
→ 1을 뺍니다.

(2) → [3]

2+1=3

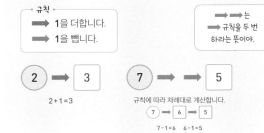

(7) → → [5]

규칙에 따라 차례대로 계산합니다.
(7) → [6] → [5]
7−1=6　6−1=5

→→는 → 규칙을 두 번 하라는 뜻이야.

❶ 규칙
→ 2를 더합니다.
→ 3을 뺍니다.

(1) → [3]
1+2=3

(5) → [2]
5−3=2

(3) → → [7]
2를 두 번 더합니다.
3+2=5, 5+2=7

(7) → → [6]
2를 더한 후 3을 뺍니다.
7+2=9, 9−3=6

❷ 규칙
→ 1을 더합니다.
→ 2를 더합니다.

(3) → [4]
3+1=4

(4) → [6]
4+2=6

(5) → → [7]
1을 두 번 더합니다.
5+1=6, 6+1=7

(6) → → [9]
2를 더한 후 1을 더합니다.
6+2=8, 8+1=9

❸ 규칙
→ 4를 더합니다.
→ 2를 뺍니다.

(4) → [8]
4+4=8

(7) → [5]
7−2=5

(8) → → [4]
2를 두 번 뺍니다.
8−2=6, 6−2=4

(5) → → [7]
4를 더한 후 2를 뺍니다.
5+4=9, 9−2=7

DAY 2

화살표 규칙 찾기 (1)

화살표 규칙을 찾아 빈 곳에 알맞은 수를 써넣으세요.

규칙
3 ➡ 5　4 ➡ 6
4 ➡ 3　8 ➡ 7

7 ➡ ➡ 8

➡는 2를 더하는 규칙이고,
➡는 1을 빼는 규칙입니다.
7 ➡ 9 ➡ 8
7+2=9　9-1=8

먼저 두 화살표
➡, ➡의 규칙을
각각 찾아봐.

❶ 규칙
1 ➡ 2　5 ➡ 6

3 ➡ ➡ 5

1을 더하는 규칙입니다.
3+1=4, 4+1=5

❷ 규칙
4 ➡ 1　6 ➡ 3

8 ➡ ➡ 2

3을 빼는 규칙입니다.
8-3=5, 5-3=2

❸ 규칙
1 ➡ 4　3 ➡ 6 (3을 더하는 규칙입니다.)
6 ➡ 4　8 ➡ 6 (2를 빼는 규칙입니다.)

2 ➡ ➡ 8

2+3=5, 5+3=8

7 ➡ ➡ 8

7+3=10, 10-2=8

❹ 규칙
2 ➡ 6　4 ➡ 8 (4를 더하는 규칙입니다.)
7 ➡ 3　8 ➡ 4 (4를 빼는 규칙입니다.)

3 ➡ ➡ 3

3+4=7, 7-4=3

5 ➡ ➡ 5

5-4=1, 1+4=5

❺ 규칙
3 ★→ 5　5 ★→ 7 (2를 더하는 규칙입니다.)
4 ▲→ 1　6 ▲→ 3 (3을 빼는 규칙입니다.)

6 ★→ ▲→ 5

6+2=8, 8-3=5

7 ▲→ ▲→ ★→ 3

7-3=4, 4-3=1, 1+2=3

❻ 규칙
2 ●→ 3　3 ●→ 4 (1을 더하는 규칙입니다.)
4 ○→ 2　5 ○→ 3 (2를 빼는 규칙입니다.)

8 ○→ ○→ 4

8-2=6, 6-2=4

1 ●→ ○→ ●→ 1

1+1=2, 2-2=0, 0+1=1

DAY 3 화살표 규칙 (2)

✎ 화살표 규칙에 따라 빈 곳에 알맞은 그림을 그리거나 색칠해 보세요.

규칙
➡ 크기가 작아집니다.
➡ 개수가 1개 늘어납니다.

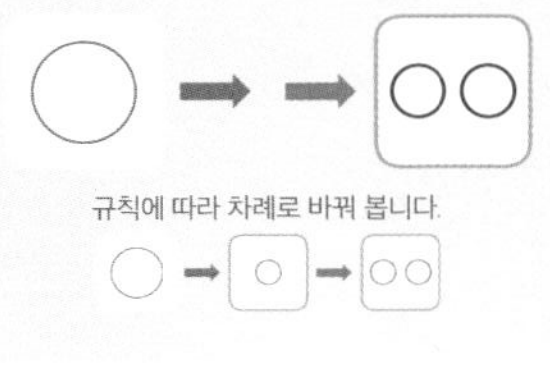
규칙에 따라 차례로 바꿔 봅니다.

순서대로 규칙에
맞게 그려 봐.

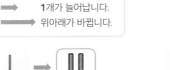

❶ 규칙
➡ 색칠합니다.
➡ 크기가 커집니다.

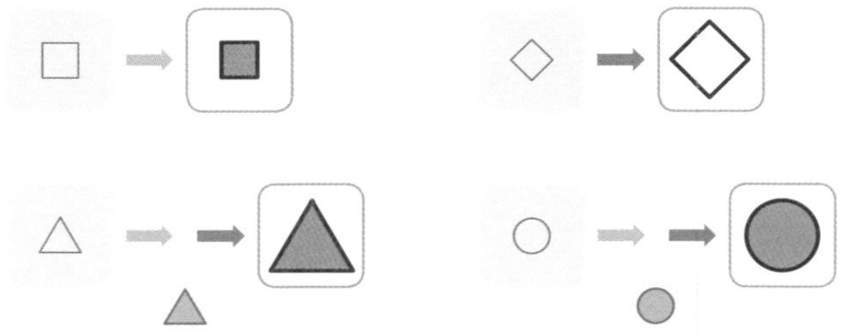

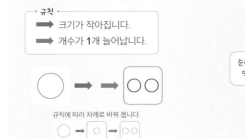

❷ 규칙
➡ 1개가 늘어납니다.
⟶ 위아래가 바뀝니다.

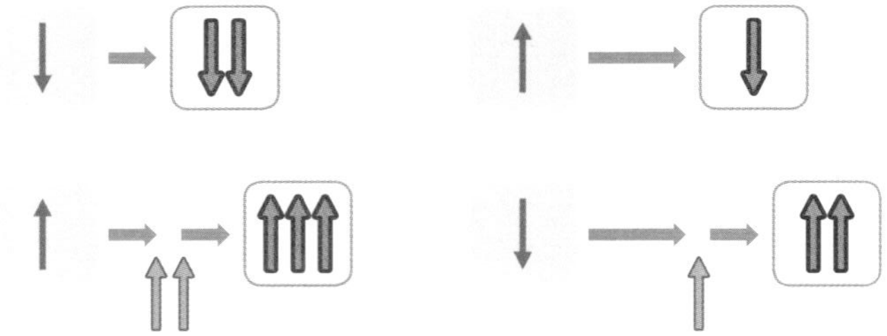

❸ 규칙
➡ 색칠된 칸이 ↘ 방향으로 1칸 이동합니다.
→ 색칠된 칸이 ↙ 방향으로 1칸 이동합니다.

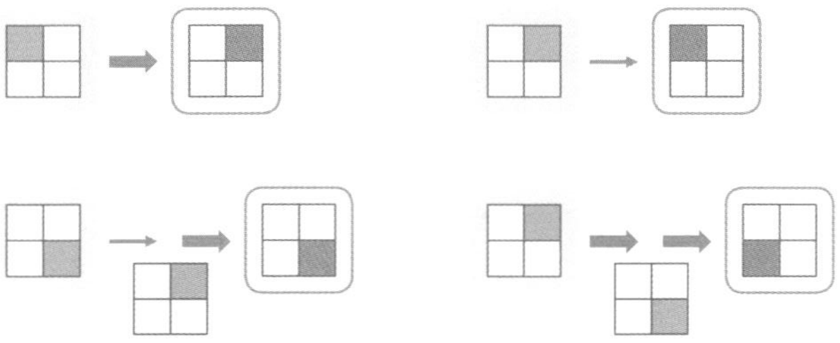

DAY 4

화살표 규칙 찾기 (2)

화살표 규칙을 찾아 빈 곳에 알맞은 그림을 그리거나 색칠해 보세요.

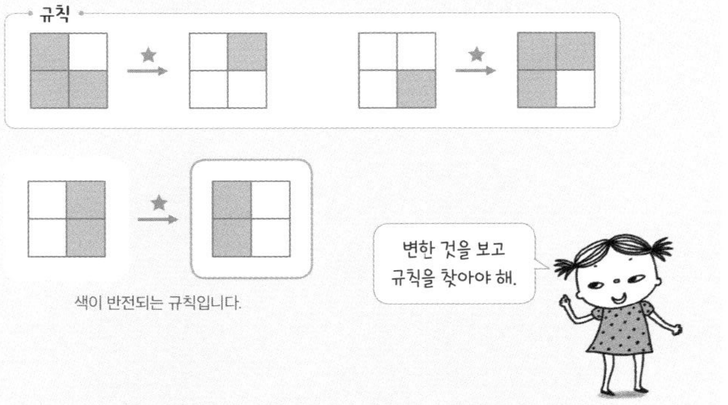

색이 반전되는 규칙입니다.

❶

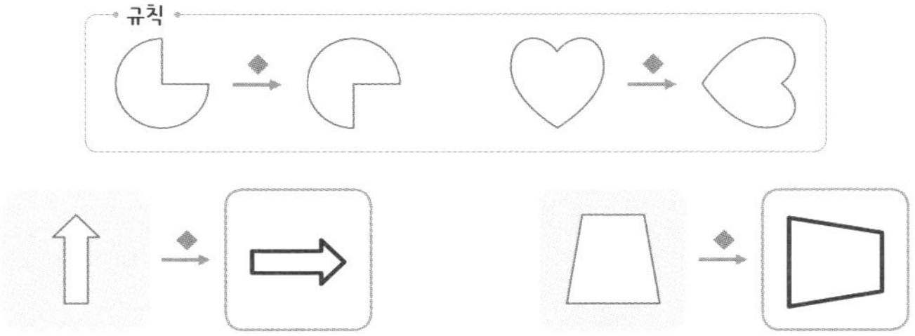

↘ 방향으로 반의 반 바퀴만큼 회전하는 규칙입니다.

❷

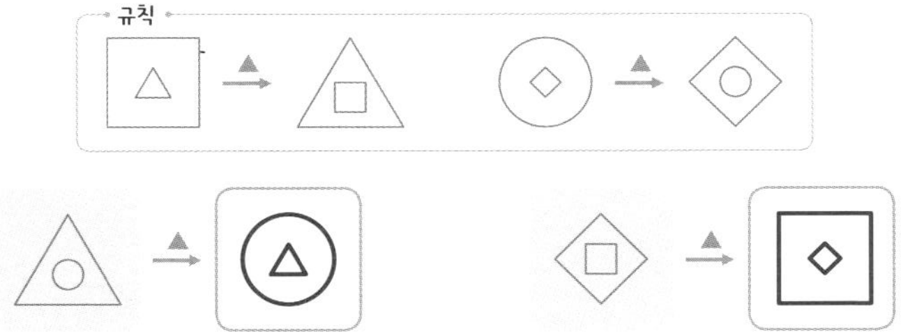

안쪽과 바깥쪽이 바뀌는 규칙입니다.

❸

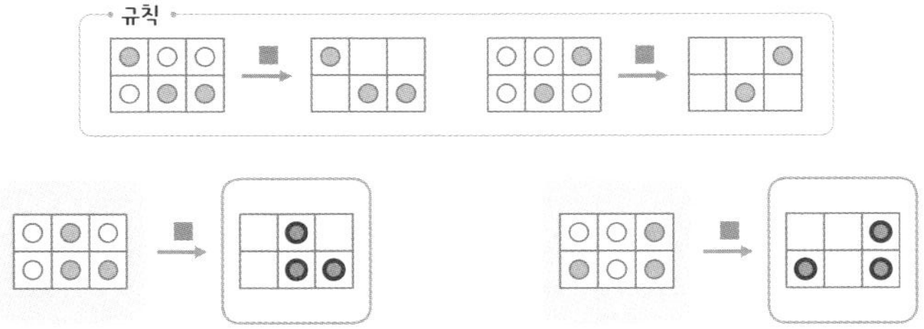

색칠된 모양만 남는 규칙입니다.

❹

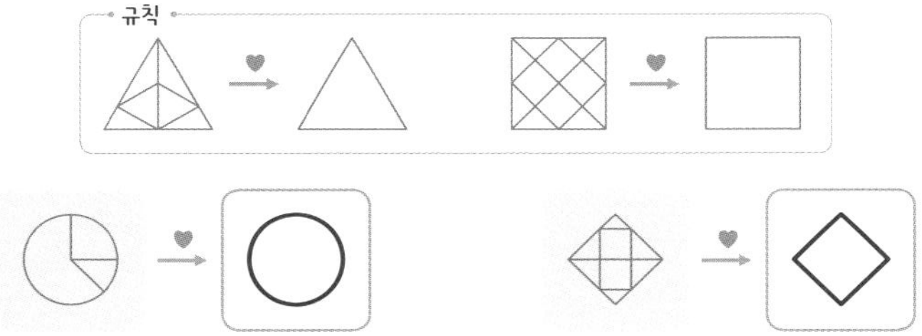

바깥쪽 선만 남는 규칙입니다.

DAY 5 모양 합치기

✎ 모양이 합쳐지는 규칙을 찾아 알맞게 색칠해 보세요.

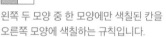

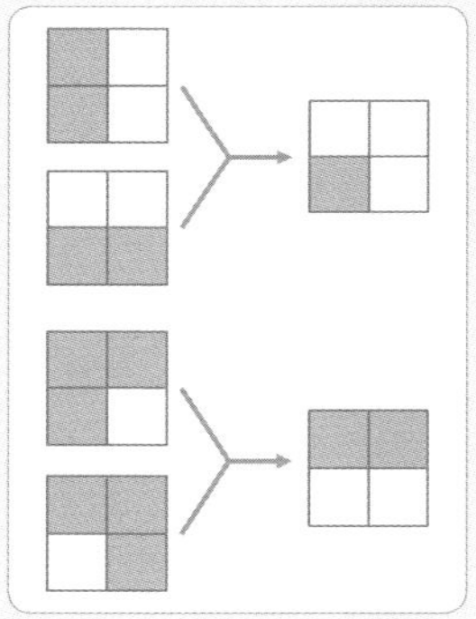

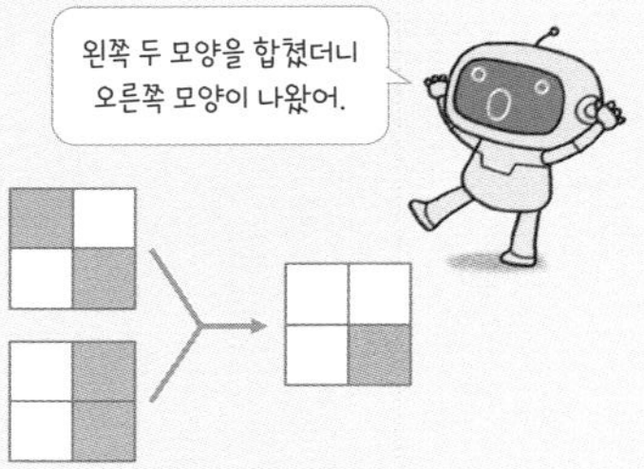
왼쪽 두 모양을 합쳤더니
오른쪽 모양이 나왔어.

왼쪽 두 모양에서 모두 색칠된 칸을
오른쪽 모양에 색칠하는 규칙입니다.

❶

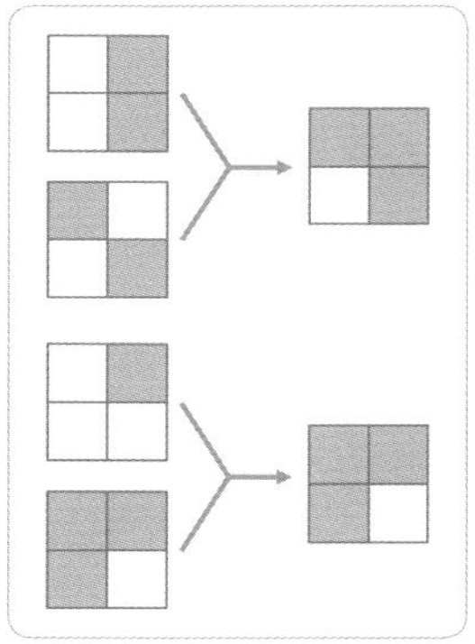

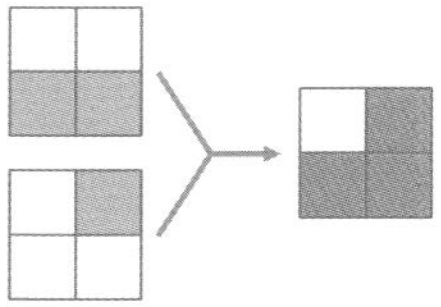

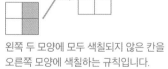

왼쪽 두 모양에서 한 칸이라도 색칠된 칸을
모두 오른쪽 모양에 색칠하는 규칙입니다.

❷

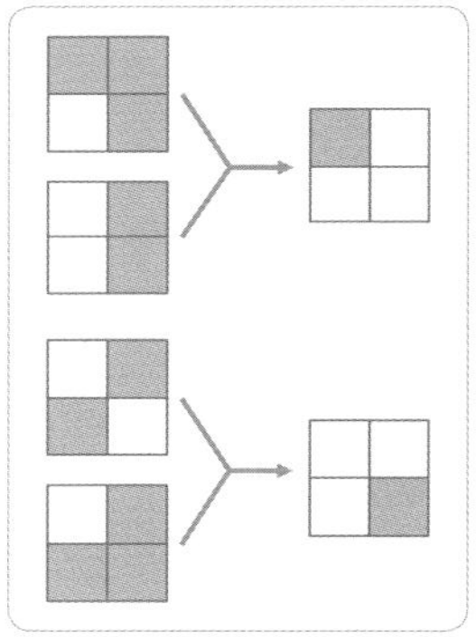

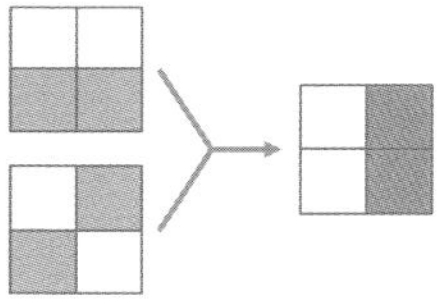

왼쪽 두 모양 중 한 모양에만 색칠된 칸을
오른쪽 모양에 색칠하는 규칙입니다.

❸

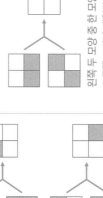

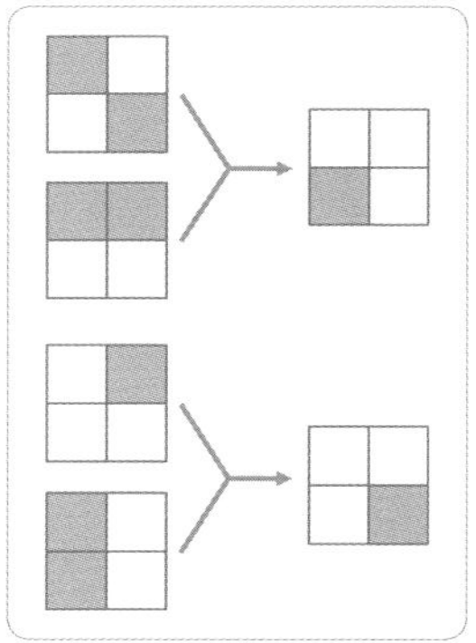

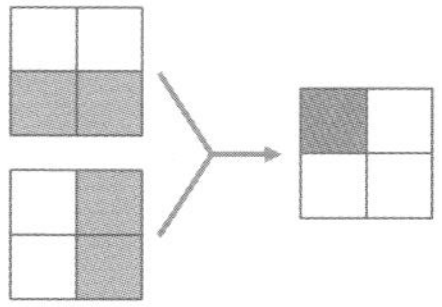

왼쪽 두 모양에 모두 색칠되지 않은 칸을
오른쪽 모양에 색칠하는 규칙입니다.

4 주차

확인학습

화살표 규칙을 찾아 빈 곳에 알맞은 수를 써넣으세요.

❶ 규칙

2 ➡ 4　　5 ➡ 7 (2를 더하는 규칙입니다.)

5 ➡ 1　　6 ➡ 2 (4를 빼는 규칙입니다.)

8 ➡ ➡ 0

8－4＝4, 4－4＝0

7 ➡ ➡ 5

7＋2＝9, 9－4＝5

❷ 규칙

2 ➡ 5　　3 ➡ 6 (3을 더하는 규칙입니다.)

6 ➡ 5　　7 ➡ 6 (1을 빼는 규칙입니다.)

1 ➡ ➡ 3

1＋3＝4, 4－1＝3

2 ➡ ➡ ➡ 7

2＋3＝5, 5－1＝4, 4＋3＝7

모양이 합쳐지는 규칙을 찾아 알맞게 색칠해 보세요.

❸

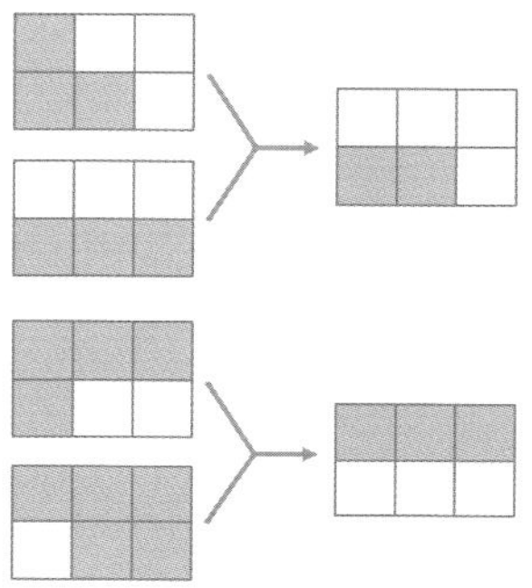

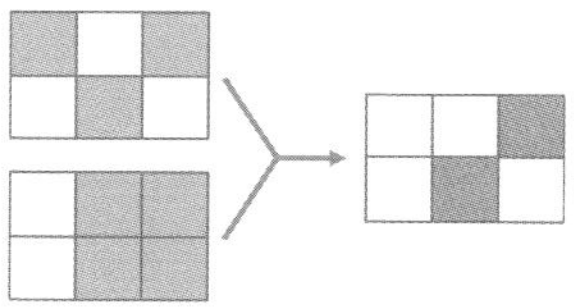

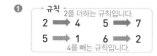

왼쪽 두 모양에서 모두 색칠된 칸을 오른쪽 모양에 색칠하는 규칙입니다.

마무리 평가

TEST 1 마무리 평가

제한 시간 15분
맞은 개수 / 5개

✤ 설명하는 것을 찾아 ○표 하세요.

❶

1. 먹을 수 있습니다.
2. ○ 모양입니다.
3. 빨간색입니다.

✤ 우즐카드 6장을 일정한 기준에 따라 분류한 것입니다. 빈 곳에 분류한 기준을 써넣으세요.

❷

곧은 선으로 된 모양입니다. / 굽은 선으로 된 모양입니다.

❸

구멍이 1개입니다. / 구멍이 2개입니다.

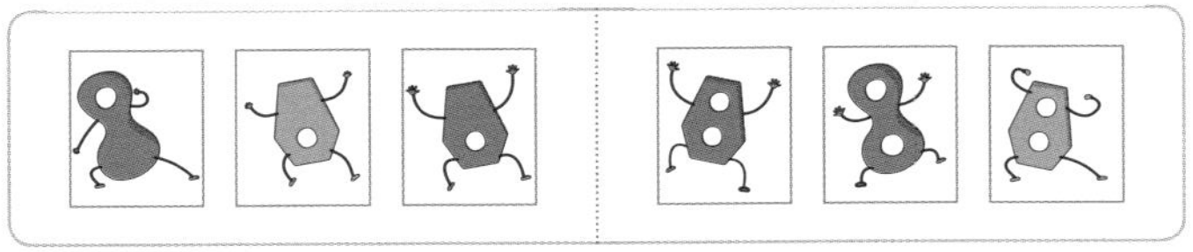

✤ 주어진 카드와 관계가 같은 카드를 찾아 기호를 쓰세요.

❹

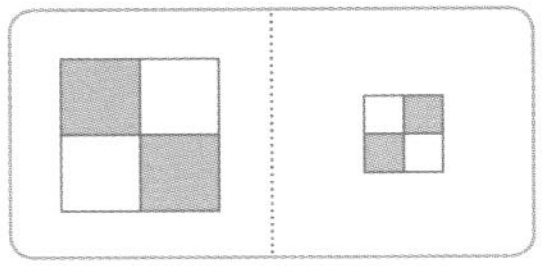

ㄱ

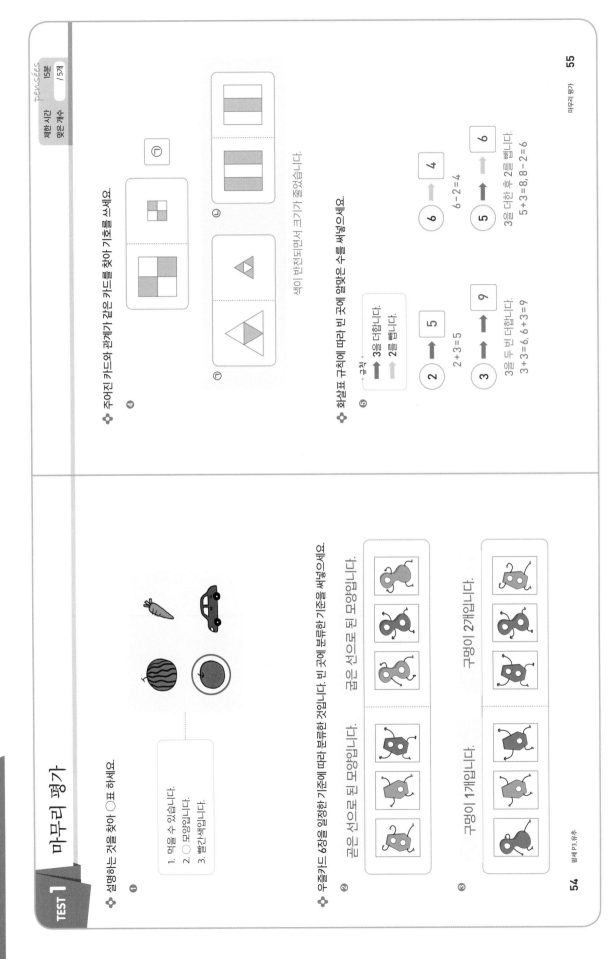

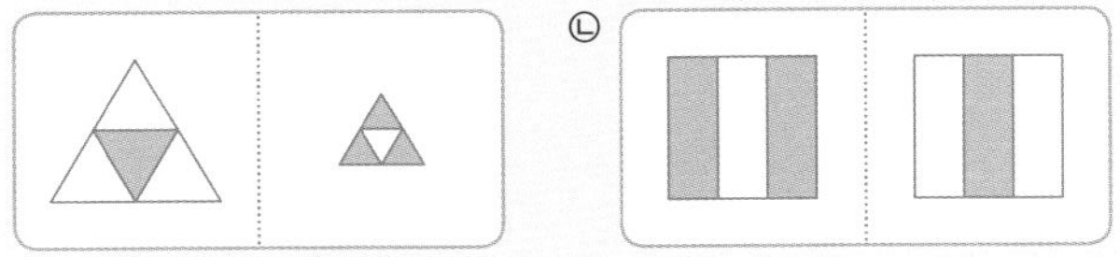

색이 반전되면서 크기가 줄었습니다.

✤ 화살표 규칙에 따라 빈 곳에 알맞은 수를 써넣으세요.

❺

규칙
➡ 3을 더합니다.
➡ 2를 뺍니다.

2 ➡ 5
2+3=5

6 ➡ 4
6-2=4

3 ➡ ➡ 9
3을 두 번 더합니다.
3+3=6, 6+3=9

5 ➡ ➡ 6
3을 더한 후 2를 뺍니다.
5+3=8, 8-2=6

TEST 2

마무리 평가

◆ 공통점을 찾아 선으로 이어 보세요.

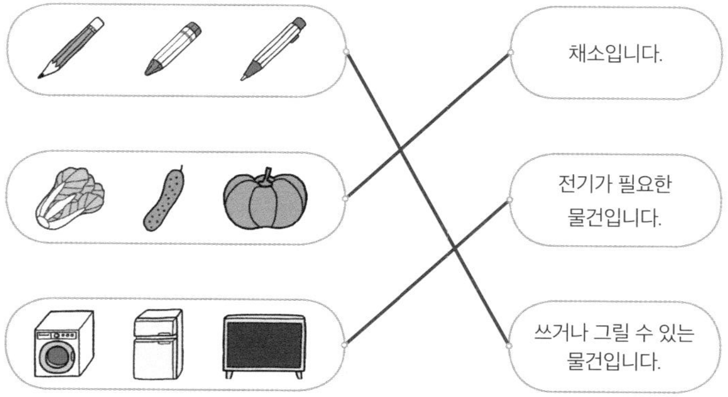

❶
❷
❸
채소입니다.
전기가 필요한 물건입니다.
쓰거나 그릴 수 있는 물건입니다.

◆ 우즐카드를 공통점을 찾아 모은 것입니다. 잘못 들어간 것에 ×표 하세요.

❹

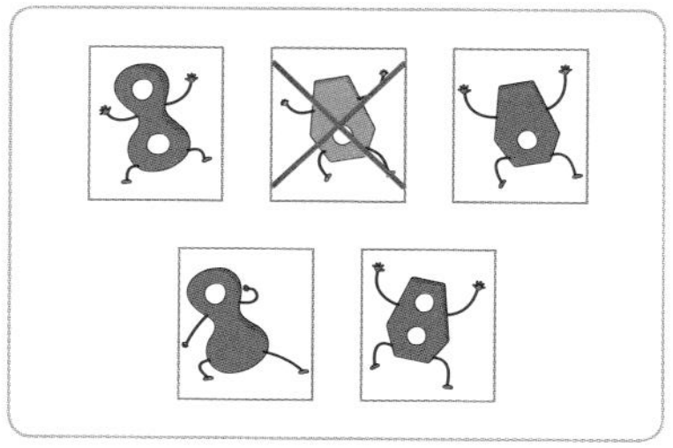

빨간색 모양을 모은 것입니다.

제한 시간 15분
맞은 개수 / 6개

◆ 왼쪽과 같은 관계가 되도록 오른쪽 빈 곳에 알맞은 기호를 쓰세요.

❺

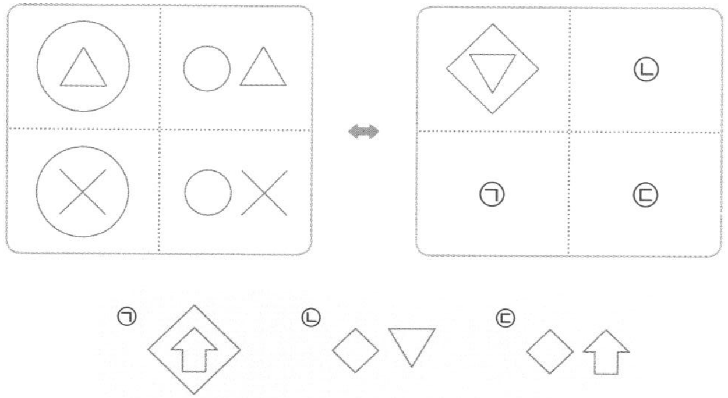

가로는 바깥쪽 모양이 작아져서 나란히 놓였고, 세로는 모양 하나가 바뀌었습니다.

◆ 화살표 규칙에 따라 빈 곳에 알맞게 색칠해 보세요.

❻ 규칙

➡ 색칠된 칸이 ↘ 방향으로 1칸 이동합니다.

➡ 색칠된 칸이 반전됩니다.

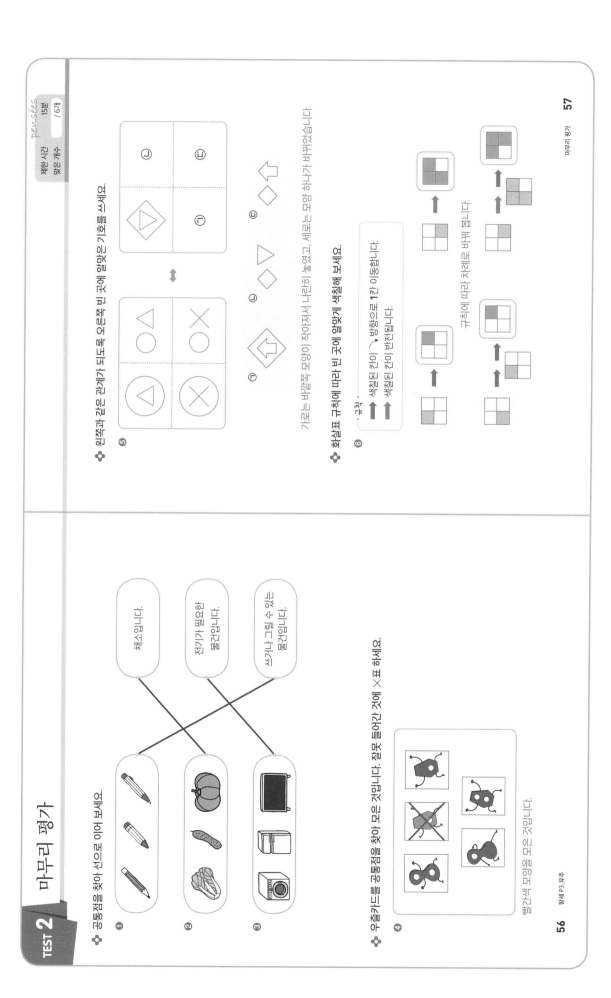

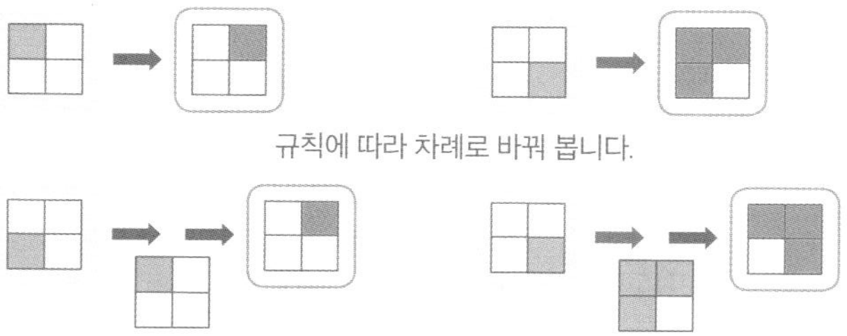

규칙에 따라 차례로 바꿔 봅니다.

마무리 평가

TEST 3 마무리 평가

제한 시간 15분
맞은 개수 / 7개

✤ 다른 그림과 어울리지 않는 것 1개를 골라 ×표 하세요.

❶

바나나, 포도, 사과는 과일이지만 당근은 과일이 아닙니다.

❷

지우개, 풀, 연필은 필통이나 책상 위에 있지만, 숟가락은 부엌에 있습니다.

✤ 우즐카드 6장을 일정한 기준에 따라 분류한 것입니다. 빈 곳에 분류한 기준을 써넣으세요.

❸ 굽은 선으로 된 모양입니다. 곧은 선으로 된 모양입니다.

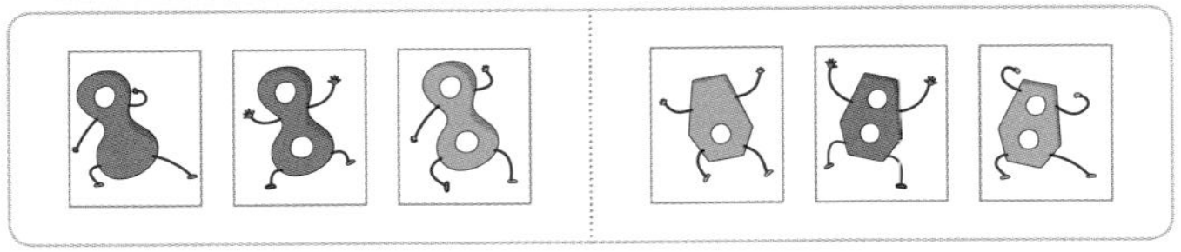

✤ 관계가 같은 것끼리 선으로 이어 보세요.

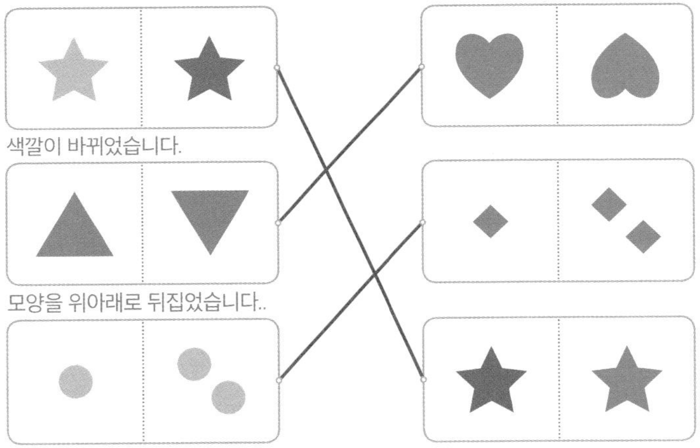

❹ 색깔이 바뀌었습니다.

❺ 모양을 위아래로 뒤집었습니다..

❻ 개수가 늘어났습니다.

✤ 규칙을 찾아 빈 곳에 알맞게 색칠해 보세요.

❼
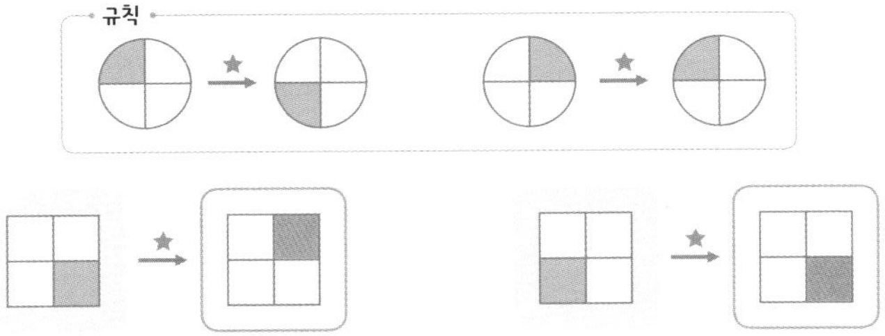

↙ 만큼 회전하는 규칙입니다.

TEST 4

마무리 평가

제한 시간 15분
맞은 개수 / 5개

✤ 다음 그림들은 공통점이 있습니다. 빈칸에 알맞은 그림에 ○표 하세요.

❶

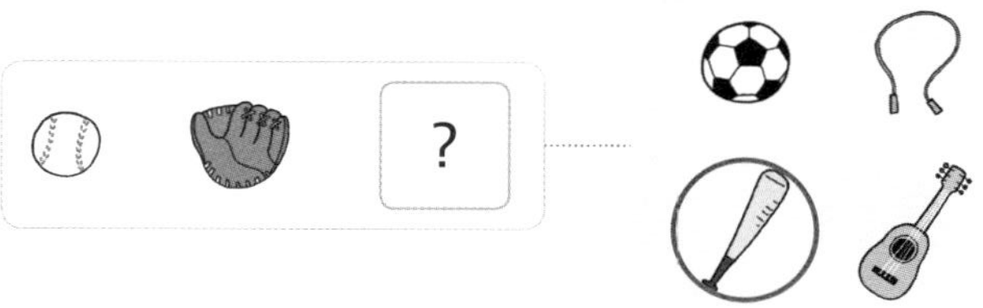

야구와 관계 있는 물건입니다.

✤ 공통점을 찾아 선으로 이어 보세요.

❷

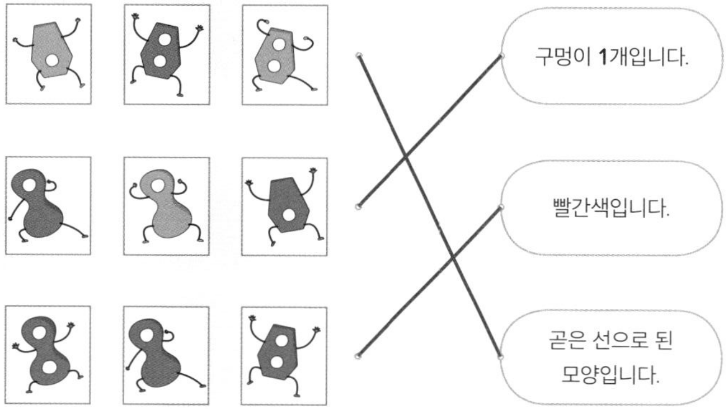

✤ 왼쪽과 같은 관계가 되도록 빈 곳에 알맞은 단어를 쓰세요.

❸

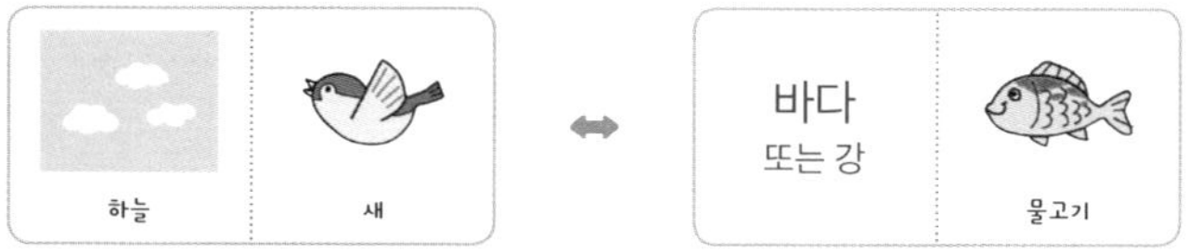

하늘에는 새가 있고 바다 또는 강에는 물고기가 있습니다.

❹

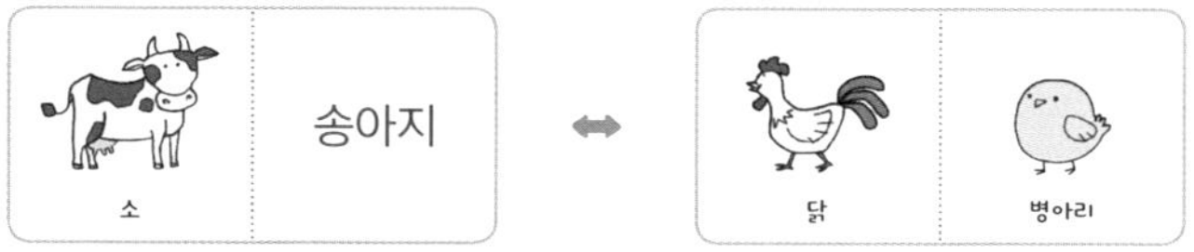

소의 새끼는 송아지이고 닭의 새끼는 병아리입니다.

✤ 모양이 합쳐지는 규칙을 찾아 알맞게 색칠해 보세요.

❺

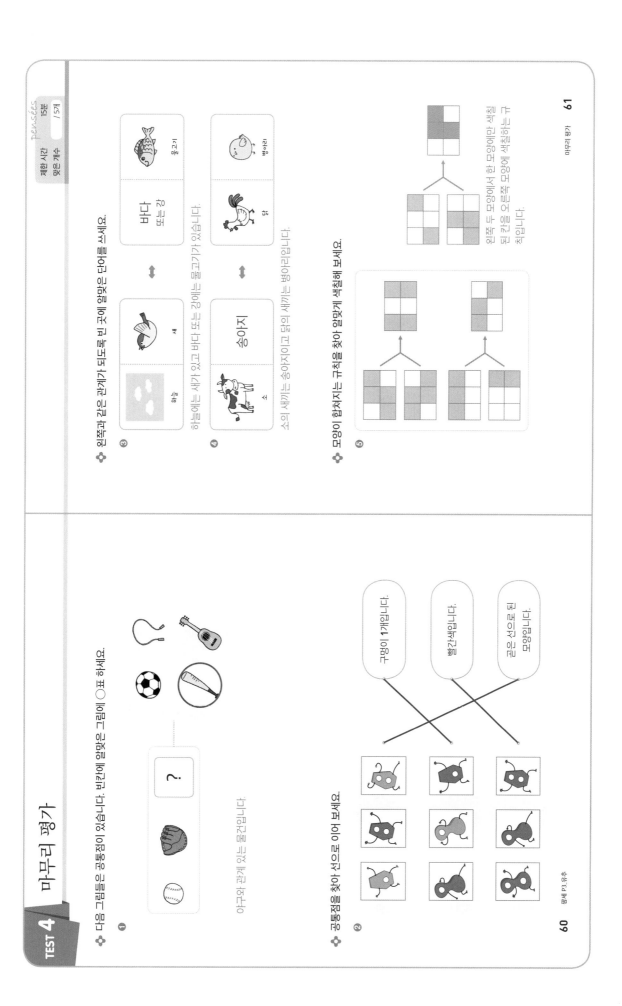

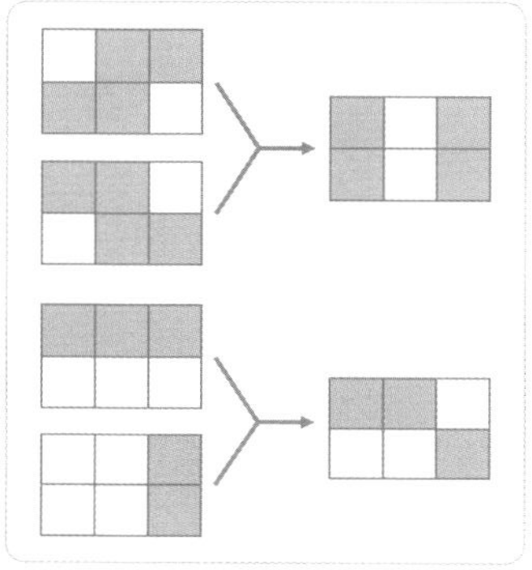

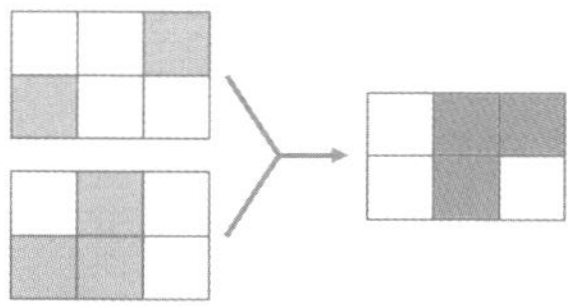

왼쪽 두 모양에서 한 모양에만 색칠된 칸을 오른쪽 모양에 색칠하는 규칙입니다.

마무리 평가

TEST 5 마무리 평가

제한 시간 15분
맞은 개수 / 7개

✤ 주어진 단추의 공통점을 써 보세요.

❶ 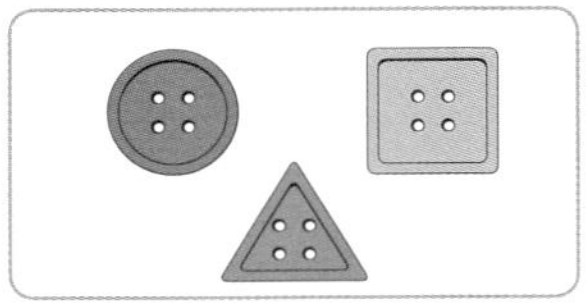

구멍이 4개입니다.

❷ 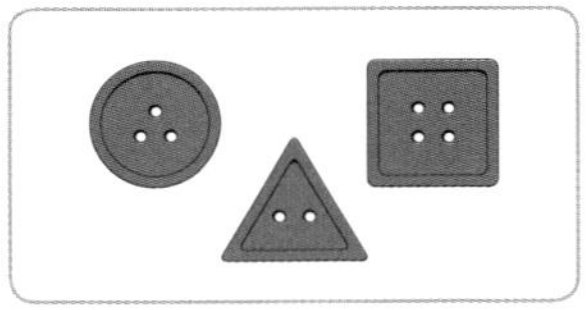

보라색입니다.

✤ 기준에 따라 분류한 것입니다. 빈 곳에 분류한 기준을 써넣으세요.

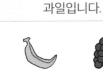

❸ 과일입니다. 과일이 아닙니다.

✤ 관계를 찾아 빈 곳에 알맞은 모양을 그리거나 색칠해 보세요.

❹ 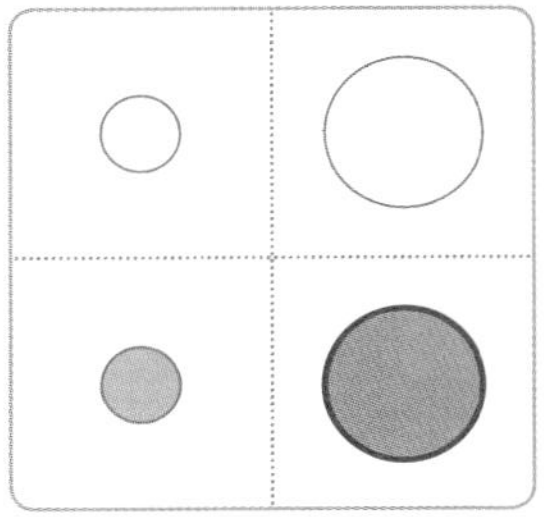

가로는 크기가 커졌고,
세로는 색칠하였습니다.

❺ 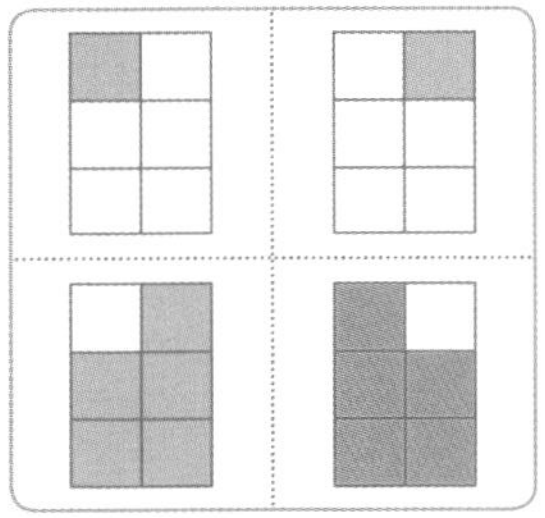

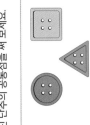

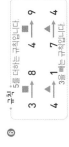

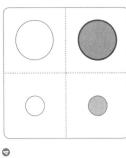

가로는 좌우로 뒤집은 모양이고
세로는 색이 반전되었습니다.

✤ 화살표 규칙을 찾아 빈 곳에 알맞은 수를 써넣으세요.

❻ 규칙

5를 더하는 규칙입니다.

3 —■→ 8 4 —■→ 9

4 —▲→ 1 7 —▲→ 4

3을 빼는 규칙입니다.

1 —■→ —▲→ 3

1+5=6, 6−3=3

8 —▲→ —▲→ —■→ 7

8−3=5, 5−3=2, 2+5=7

❼ 규칙

1을 더하는 규칙입니다.

2 —★→ 3 5 —★→ 6

6 —☆→ 2 8 —☆→ 4

4를 빼는 규칙입니다.

7 —☆→ —★→ 4

7−4=3, 3+1=4

4 —★→ —☆→ —★→ 2

4+1=5, 5−4=1, 1+1=2

pensées

pensées

씨투엠 지식과상상 since 2013 연구소

교재 소개 및 난이도 안내

*일부 교재 출시 예정입니다.

분야	교재	대상
도형	도형 학습 스타트 **플라토**	6세 ~ 초6
도형	도형 수준 레벨업 **플라토X**	6세 ~ 초6
연산	연산의 새로운 기준 **칸토의 연산**	5세 ~ 초6
연산	연산으로 상위권 점프 **응용연산**	6세 ~ 초6
서술형	수학 실력은 결국 독해력 **수학독해**	6세 ~ 초6
사고력	반드시 필요한 사고력만 **팡세**	6세 ~ 초6
예비초등수학	쉽게, 빠르게, 재미있게 **구구단**	5세 ~ 초2
예비초등수학	저학년 시간 학습 준비 끝 **시계와 달력**	5세 ~ 초2
예비초등수학	꼭 알아야 할 실생활 수학 **길이와 화폐**	5세 ~ 초2
예비초등수학	기초 튼튼, 개념 탄탄 **분수**	5세 ~ 초2

Man is but a reed,
the most feeble thing in nature;
but he is a thinking reed,

"인간은 자연에서 가장 연약한 갈대에 불과하다.
하지만 인간은 생각하는 갈대이다."

Blaise Pascal, 블레즈 파스칼

씨투엠 초등 수학 교구 상자

펜토미노턴

평면 공간감각을 길러주는 회전 펜토미노 퍼즐

초등학생들이 어려워하는 '평면도형의 이동'을 펜토미노와 패턴블록으로 도형을 직접 돌려 보며 재미있게 해결하는 공간감각 퍼즐입니다.

큐브빌드

입체 공간감각을 길러주는 멀티큐브 퍼즐

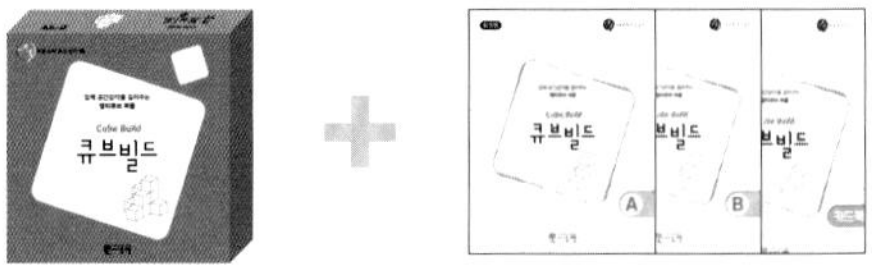

머릿속으로 그리기 어려운 입체도형을 쌓기나무와 멀티큐브를 이용하여 직접 만들어 위, 앞, 옆 모양을 관찰하고, 다양한 입체 모양을 만드는 공간감각 퍼즐입니다.

폴리탄

도형 감각을 길러주는 **입체 칠교** 퍼즐

정사각형을 7조각으로 자른 '입체 칠교'와 직각이등변삼각형을 붙인 '입체 볼로'를 활용하여 평면뿐만 아니라 다양한 입체도형 문제를 해결하는 퍼즐입니다.

트랜스넘버

자유자재로 식을 만드는 멀티 숫자 퍼즐

자유자재로 식을 만들고 이를 변형, 응용하는 활동을 통해 연산 원리와 연산감각을 길러주는 멀티 숫자 퍼즐입니다.

머긴스빙고

수 감각을 길러주는 **창의 연산** 보드 게임

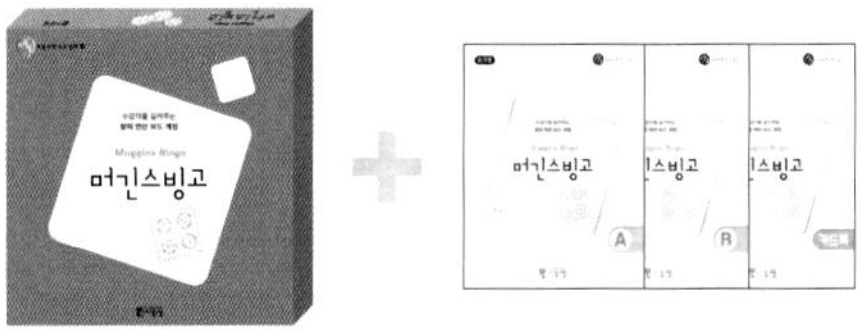

빙고 게임과 머긴스 게임을 활용하여 수 감각과 연산 능력을 끌어올리고 전략적 사고를 키우는 사고력 보드 게임입니다.

폴리스퀘어

공간감각을 길러주는 **입체 폴리오미노** 보드 게임

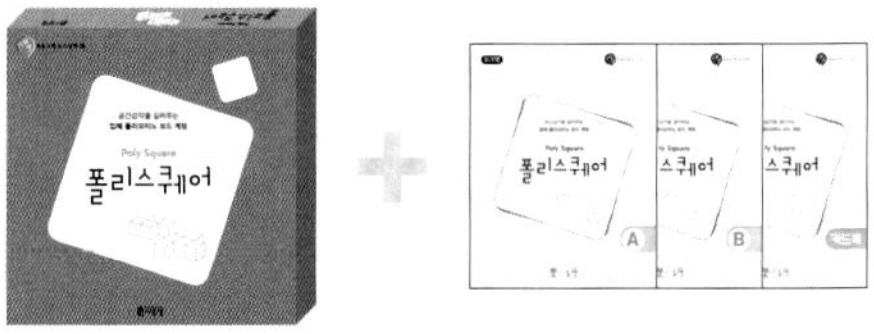

모노미노부터 펜토미노까지의 폴리오미노를 이용하여 다양한 모양을 만들어 보고, 여러 가지 땅따먹기 게임 등을 통해 공간감각을 기를 수 있는 보드 게임입니다.

큐보이드

입체를 펼치고 접는 **전개도** 퍼즐

여러 가지 모양의 면을 자유롭게 연결하여 접었다 펼치는 활동을 통해 정육면체, 직육면체 전개도의 모든 것을 알아보는 전개도 퍼즐입니다.